緑 慎也
Shinya Midori

13歳からのサイエンス

理系の時代に必要な力をどうつけるか

ポプラ新書
233

はじめに

２０２０年11月に94歳で亡くなったノーベル物理学賞受賞者の小柴昌俊《こしばまさとし》氏は、しばしば「心に夢の卵を持っておきなさい」と若者向けの講演で語った。持つべきものは「夢」ではなく、その「卵」であるとしたのは、動物の卵のように養分を与えて温める、つまり育てる過程が、夢の実現には大事であることを強調したかったからだろう。

夢の卵はどうすれば見つかるのか。小柴氏は次のように述べている。

若いうちに物怖じしないでいろんなことに挑戦し、体験してみて、そのなかから「あ、これならやれる」「これならやりたい」と実感できるものを見つけておくことです。そういうものが見つかったら、それが夢の卵です。

（小柴昌俊『ニュートリノの夢』岩波ジュニア新書）

夢の卵は、漫然と待っていれば勝手に降ってくるわけではなく、自ら動いてつかみ取るものなのだ。先行きが不透明で、制約の多い今こそ挑戦する姿勢が求められる。

しかし、この指針の通りに実行するのは難しいと思う人もいるはずだ。かくいう筆者も小さいときは引っ込み思案で、周囲の活発な子たちに刺激を受け、「自分もいろんなことに挑戦したい」と思いつつ、動けずにいた。「物怖じしないで」と言われても、一歩を踏みだすこと自体に抵抗を感じる人は少なくないのではないか。

本書では、夢の卵を見つけ、育ててきた若き先駆者たちを紹介したい。

落ち葉に裏向きが多い理由を探ったファンタジー小説好きの高校生。有名な数学の定理の拡張版を証明した不登校経験者。小学校時代に曾祖父が新聞の字を拡大して読めるようにアプリを開発したプログラミング好きの高校生。

マイクロプラスチックによる海洋汚染問題を解決すべく、ゴミとして捨てられるおがくずで断熱材を高校時代に作った大学生。科学部の仲間と装置を手作りし、火星の重力環境を再現して各種の科学賞を総なめした定時制高校出身の大学生。

高校時代に生物学の国際大会で優秀な成績を収め、大学でバイオインフォマティクスを学び、その知識を駆使して古生物を研究するとともにYouTubeでゲーム実況する化石好きの大学院生。麴菌が培養皿の中で輪を形作る謎に高校時代に挑み、深海好きが高じて、大学時代に有人潜水調査船「しんかい6500」に乗って深海探査を体験した後、コンサルタントに転じた会社員。

蚊に刺されやすい妹のために蚊に刺されにくい方法を探究し、ついにその答えにたどり着き、高校卒業後アメリカの名門校に進学した大学院生。

彼らは身近な疑問や周囲の大人から得たアイデアを発展させるなどして、各種の科学自由研究コンテストで素晴らしい成果を上げた夢の卵の持ち主たちだ。彼らの歩みは、まだ夢の卵を見つけられていない人、見つけてもその育て方に悩んでいる人に、きっと一歩を踏みだす勇気を与えてくれると思う。また彼らがどう科学的に考え、発見にたどりついたのか、参考になればと思う。

残りの2章では、科学界の最前線で活躍する研究者二人に、学生時代や研究生活をふり返って科学教育のあり方について思うところを伺った。我が子に科学に興味を持ってほしい、科学的な考え方を身につけてほしいという願いを持つ親御さんに参考になれば幸いである。

13歳からのサイエンス／目次

第1章

落ち葉に裏向きが多い理由を探った
ファンタジー小説好きの高校生

落ちざまに虻《あぶ》を伏せたる椿かな

虻が椿のおしべにしがみつき、夢中で蜜を吸っている。そのまま椿の花が茎から離れ、地面に落下し虻は花に伏せられる――。夏目漱石の句である。熊本県の第五高等学校に英語教師として赴任していた頃に詠まれた。漱石が実際に椿と虻の一瞬の攻防を目にしたのか、それとも想像しただけなのかは定かではない。

こんな状況はあり得るのか。この問題を後に真面目に検証したのが、漱石の第五高等学校時代の教え子で、随筆家としても知られる東京帝国大学理科大学教授の物理学者、寺田寅彦《とらひこ》である。寅彦は落下した椿の花の多くが仰向けであること、すなわち花が広がっている方を上向きにして地面に転がっていることに気がついた。ランダムに落ちるのであれば、仰向けもうつ伏せも半々になるはずだ。何か仰向けになりやすい理由があるのか。

寅彦は、椿の花に似せた円錐形の模型を作って落下実験をしたり、空気抵抗を受ける物体の回転について計算したりして、椿のような円錐形の物体が、落下中に回転して仰向けになりやすいことを示した。さらに、もし円錐形の物体の中に蚯程度の重さの物体があると、重心の位置が変わるため、円錐形の物体はうつ伏せのまま落下しやすいことも明らかにした。漱石が詠んだ句の状況は実際にあり得るわけだ。この研究成果は、「空気中を落下する特殊な形の物体──椿の花──の運動について」という学術論文として１９３３年に発表された。

寺田寅彦の研究がきっかけだった

それから約90年後、ある高校生が、落下した後の植物の向きに偏りが見られることにふと気づく。といっても彼女が注目したのは椿の花ではなく落ち葉だった。

「学校の玄関前に落ち葉がいっぱいあるんですが、裏向きが多いなと思ったんです。友だちに協力してもらって落ち葉を拾ったんですが、やっぱり表より裏が多かったんです」

と語るのは長崎県立大村高等学校3年の本村かんなさん。落ち葉の向きの偏りに気づけたきっかけは他でもない、寺田寅彦の椿の研究だという。

「生徒が自主的に課題を見つけて実験したり観察したりする時間があるんですが、私は高1の頃、椿油を使った実験をしていたんです。そのときそばを通りかかった先生に『椿と言えば、寺田寅彦さんの研究がある』って教えてもらいました。『椿の花は仰向けに落ちていることが多いことを証明したんだよ』って。それで自分の身の回りで、何かそれに似た例がないかなと思って落ち葉を見ていたときに裏向きが多いって気づきました」

大村高校は2018年に文部科学省よりスーパーサイエンスハイスクール（SSH）に指定された。SSHは2002年にスタートした科学技術人材を育成するための文科省の事業だ。SSHに選ばれた高校または中高一貫校は国の支援金を大学の研究室で使用されるような実験装置の購入に充てたり、通常のカリキュラムを科学的な内容のものに振り替えたりできる。本村さんが寺田寅彦の椿の花の研究を教師から聞いたのは、SSH校ならではのカリキュラムの一つである課題探究の時間だった。

本村さんは落ち葉の謎の解明に取り組むため、２年進級時、理科部に入部した。

まず裏向きの葉（以下、裏葉）を故意に多く拾っている可能性を排除しなければならなかった。そこで葉の採取場所を２メートル四方に区切り、その中にある落ち葉をすべて拾い、表向きの葉（以下、表葉）を、あらかじめ用意した表葉専用の袋に入れ、裏葉も専用の袋に入れ、それぞれの枚数を数え上げた。その結果、やはり裏葉の数の方が多かった。日によって差はあったものの、９対１で裏葉が多いときもあった。

上から葉っぱを落としたら意外な結果に

なぜ裏葉が多いのか。寺田寅彦が検証した椿の花のように落下中に回転し、裏側に向きやすいのか。本村さんは教室で、２メートルの高さから葉っぱを落としてみた。その結果は意外なものだった。

「クスノキ、ケヤキ、サクラの葉で試したんですが、表葉と裏葉の割合は、クスノキで半々、ケヤキとサクラは7対3くらいでした。表葉の方が多かったんです」

落下した直後、表葉と裏葉の割合は半々、もしくは表葉の方が多いが、本村さんが野外で実際に拾った落ち葉は裏葉の方が多いとすると……。

「何らかの原因で反転しているはずです。風が吹いたとき、表葉の方がひっくり返りやすく、裏葉の方はひっくり返りにくいとすれば、結果的に裏葉が多くなるだろうと考えました」

本村さんは葉を床に置き、送風機で風を当ててみた。風速計で風の強さを測りながら、どれくらいの風速で表葉、裏葉がそれぞれ反転するかを調べたのだ。すると、反転風速はクスノキ、ケヤキ、サクラとも表葉の方が有意に小さかった。表葉の方が反転しやすいのだ。

さらに表葉から裏葉へ、あるいは裏葉から表葉へ移り変わる現象を数式で表し、実験で得られた反転率を使ってコンピュータシミュレーションを実施したところ、実際に拾った表葉、裏葉の枚数を再現できた。

まずは先生に数列を教えてもらった

葉っぱが落下した後、しばらく時間が経過すると、どうやら風の影響で裏を向きやすいらしい。次の謎は、その仕組みだ。なぜ裏葉になりやすいのか。

本村さんは、風が葉に当たるときに生じる上向きの力と下向きの力のバランス（正確には力のモーメント）によって反転現象を説明できると考えた。

それぞれの葉の面積や、端が反り返っている角度の大きさなどを実測し、表葉、裏葉が反転しはじめる風速を求める数式に入れて計算すると、実験で得られた風速に近い値が得られた。

裏を向けた落ち葉が多いこと、表を向けた落ち葉が風を受けて反転しやすいことを、本村さんは観察、実験、計算により明らかにしたわけだ。

「理科部の顧問の先生には、物理現象を数式で表して説明することや、数学Bで習う数列の漸化式《ぜんかしき》が使えるんじゃないかという示唆をいただきました。でも、そのとき私はまだ漸化式を習ってなかったので、まず数学の先生に数列を教えてくださいってお願いしました」

漸化式はまだしも高校数学の範囲で習う内容だが、本村さんの研究レポートには、葉が浮き上がる力として揚力《ようりょく》が登場する。揚力は流体力学の概念で、一般には大学でカバーされる内容だ。

大学で学ぶ「流体力学」の概念に偶然気がつく

「揚力のことも全然知らなくて、私は最初、裏葉が反転しにくいからという理由で裏葉が多いことを説明できるんじゃないかと考えていたんです。裏葉に風が当たると上から下に押さえつける力が強くなって、反転しにくいのだろうと。もしその通りなら、電子天秤に裏葉を置いて風を当てたとき重さが増すはずです。ところが結果は逆で、軽くなった。訳がわからなくて、行き詰まってしまいました。実験を前に進められないので、とりあえず放課後にそれまで得られたデータを理科室で整理していたのですが、近くでひとつ上の3年生の先輩が流体力学の話をしているのが聞こえてきたんです」

　先輩は大学の推薦入試に向けて面接の練習中だった。教師が面接官役を務め、想定問答の一つとして、その生徒の趣味である飛行機に関連づけて「流体力学について簡潔に説明してください」と訊ねたという。

「先輩の答えを聞きながら、もしかしたら流体力学が私の実験に関係しているのかもしれないと思ったんです。その後、ネットで調べて揚力というものを知りました」

　教師のアドバイスや先輩の面接練習に居合わせる偶然に助けられて一定の結論を得た本村さんの落ち葉研究は、2020年11月に第3回グローバルサイエンティストアワード〝夢の翼〟で文部科学大臣賞（最優秀賞）、21年3月に第17回日本物理学会Jr.セッションで最優秀賞を、同年8月に第45回全国高等学校総合文化祭紀の国わかやま総文2021自然科学部門（物理）で最優秀賞を、そして同じく8月に令和3年度スーパーサイエンスハイスクール生徒研究発表会第2部「代表校による全体発表」で国立研究開発法人科学技術振興機構理事長賞を受賞するなど、高校生を対象とする科学コンテストで非常に高い評価を受けた。

絵本と科学館

この快挙に戸惑ったのが母親の桂さんだ。

「娘は朝が苦手で、学校の成績も決して良い方ではありません。勉強しなさいと口うるさく言っています。落ち葉の研究でたくさんの賞をいただきましたが、本当に我が子のことかな？　と疑ってしまうくらいです。受賞できたのは手厚く指導してくださった先生方のおかげです」

幼少期のかんなさんに対して桂さんは本好きに育ってほしいという思いを持っていたという。

「はじめての子どもだったこともあり、早くから絵本の読み聞かせをしました。何度も同じ本を読むのでこちらも中身を覚えてしまい、絵本なしでそらんじると、娘がハイハイで本棚からその本を取ってきてくれるので驚きましたね。小学生の頃も本好きで、ほとんど毎週図書館で本を借りて読んでいました。ファンタジーのような物語が好きなようです」

中学校で心の教室相談員をしている桂さんはかんなさんを見て、感心することがある。

「どんなときでも楽しむ力を持っているなとよく思います。高校生にもなれば、学校や友人関係で不満を感じることがあるはずですが、誰かのことを悪く言うことはありません」

科学方面の教育に力を入れていたわけではないものの、近所の科学館に連れて行く機会は多かったという。

「雨天の日は、屋内で遊べる施設として父親が科学館に連れて行っていましたね」

かんなさんも、小さい頃、しばしば科学館に行ったことを覚えている。

「長崎市科学館や佐賀県立宇宙科学館の他、父の地元である久留米の科学館（福岡県青少年科学館）などあちこちの科学館に連れて行ってもらいました。父は中学校で技術の教員をしているんですが、私の名前のかんなは、木材を削る工具の鉋《かんな》から取ったそうです」

実験より考察を書くのが好きだった

科学館で科学を身近に感じながら幼少期を過ごしたからか、中学時代のかんなさんの好きな科目は理科だったという。

「中学校の理科の先生がすごく実験に力を入れる方で、物理、生物、化学の様々な実験を体験させてくれました。私は実験より考察を書くのがすごく好きでしたね」

考察とは、実験から得られた結果が最初の仮説を説明するのか、あるいは仮説に反するのか、実験方法は妥当だったか、どうすれば改良できるかなどについて検討し、整理して書き記すことである。初等中等教育や大学教育で授業の一環として行われる実験では必ず考察を書かされる。だが、化学反応のような見た目の楽しさがある実験作業の部分に比べて、考察に面白味を感じる人は多くないのではないだろうか。少なくとも筆者は考察を書くのが苦痛だった。
「私の場合、実験前に予習を全然しなかったので、結果がどうなるかわからなかったんです。それに中学生の実験なので、精度も低くて、他の班と全然違う結果が出てくる。どれが正しいんだろうって考えながら結論を出すのが楽しかったですね」
考える時間を楽しむ。その姿勢があればこそ、誰もが目にしながら見過ごしてきた「不思議」を発見し、実験を通じて結論を見出すことができたのだろう。寺田寅彦も草葉の陰から本村さんの落ち葉研究を眺めてほくそ笑んでいるに違いない。

葉は裏側を向きやすいように進化した!?

落ち葉の形状が表と裏の反転のしやすさに影響を及ぼす。本村さんの研究はその物理的な仕組みに迫るものだ。しかし本村さんが元々明らかにしたかったのは物理的な謎とは別のものだったという。

「クスノキ、ケヤキ、サクラの葉の他に、イチョウの葉でも裏向きの落ち葉の方が表向きよりも多いのか調べてみました。すると、イチョウの葉の場合、五分五分で、最初の3種のように差が付かなかったんです。私は、イチョウが進化の歴史で、クスノキ、ケヤキ、サクラよりも前に登場した種だからではないかと考えました。逆に言うと、クスノキ、ケヤキ、サクラは、葉が落ちた後に裏側を向けやすいように進化したのではないかと」

葉っぱが裏側を向けやすいように進化？　裏側を上に向けることに何らかのメリットがその植物にあるということだろうか。

「たとえば裏葉を上に向ける方が植物は栄養分を多く吸収できるかもしれません」

面白い発想だ。落ち葉は土壌の微生物により分解され、周囲の植物に栄養分を供給している。このこと自体はすでに知られているが、もし植物が分解されやすい形状の葉を持っていれば、そうではない植物より豊かな土壌環境を作り、多くの子孫を残すことができるはずだ。

「落ち葉の分解に紫外線が関係している可能性があると考え、2020年8月、校舎の屋上にベニヤ板を広げ、裏葉と表葉に分けて敷き詰め、飛ばないように網で蓋をして観察を始めました。もし紫外線による分解の影響が表葉で小さく、裏葉で大きければ、裏葉を上に向ける方が分解されやすいことになるからです」

もし本村さんのこのアイデアが検証されれば、森林循環の見事さ、進化の仕組みの精妙さを示す一例になる。

「私はその研究がしたくて、理科部に入ったんです。でも、生物が関わる実験って時間がかかるじゃないですか。葉を日光に当ててどれくらい分解されるか分光光度計やクロマトグラフィー（物質を分離・精製する装置）を使って調べようとしたんですが、数週間とか1か月の単位では分解が全然進みませんでした。焦ったのは、科学コンテストのレポート提出期限が近づいてきたことです。実験がうまくいくかどうかわかる前に申し込んでいたので……。そこで途中で研究の方向性を変えたんです」

落ち葉の反転の研究自体、締め切り接近の風を受けて「反転」した結果、生み出されたわけだ。

「まずは反転のしやすさを明らかにしないとダメだということに後で気づきました」

ところで、落ち葉の裏表で分解されやすさに差があるかどうかの実験はどうなったのだろうか。

「最初は頻繁に観察しに行っていたんですが、いっこうに分解が進まない。その一方で、反転のしやすさの実験で忙しくなったので、しばらく屋上の葉を放置していたんです」

放置されている間、表葉と裏葉の分解競争が繰り広げられたのかもしれないが、本村さんが久しぶりに屋上に行ったとき目にしたのは、表葉も裏葉も区別が付かないほど朽ち果てた姿だったという。どちらも跡形もなく分解し尽くされていたのだ。

表葉か裏葉かで、紫外線での分解速度に差が出るのか。この謎はまだ解き明かされていない。だが、本村さんは一旦この研究を中断し、次の目標に向けてチャレンジしているところである。

今の夢は、経済と環境が両立する社会をつくること

もったいないように思えるが、本村さんは高校３年生。大学合格を目指して受験勉強中の身である。受験期で実験できないのは仕方ないとしても、将来、研究者になる気はないのだろうか。

「今の夢は、開発途上国で開発プロジェクトリーダーになって経済発展と環境保全が両立する社会を実現することです」

開発途上国が現在の先進国と同じやり方で開発を進めると環境に負荷をかける。そうかといって開発はせず現状で我慢すべきだというのもおかしな話だ。したがって環境保全と経済発展を同時に成し遂げなければならない。本村さんはこの難題にチャレンジしたいのだという。

なぜ開発プロジェクトリーダーなのか。

「環境問題には、工学的な課題だけでなく民族問題など複数の分野が関わります。私はいろいろなことを知るのが好きなので、分野横断的に幅広い知識を身につけて、それぞれの分野の専門家を結び付けられるような人になりたいです。落ち葉の研究は理科部の後輩に引き継いでくれる人が出てきたらいいなと思っています」

本村さんは高2から理科部に入ったが、高校入学と同時に入部した語学部との掛け持ちだという。語学部で、英語を学びつつ、外国の文化に触れた経験も、世界に目を向けるきっかけになったのだろうか。

「それもあります。高校で語学部に入ったのは、中3のときに通った弓道教室で、たくさんのALT（外国語指導助手）のネイティブの方々に会って、私もこんなスピードで話したり、学校の英語の授業で習わないような表現を学んだりしたいと思ったからです」

落ち葉の研究でも、教師から得た寺田寅彦の椿の落ちざま研究の示唆、面接練習中の先輩の話を偶然耳にしたことなど、周囲の人々からもたらされたヒントを結び付けることによって一定の成果を得ることができた。生物的な研究から物理的な研究へ切り替える柔軟さも持ち合わせている。様々な利害関係者の意見のすり合わせも要求されるはずの開発プロジェクトリーダーという仕事は、本村さんに合っているのかもしれない。

「考えることが好きなので、いろんな世界を知れば、広い視野から考えることができて、新しい問題に気づけるかなと思っています」

椿の花も落ち葉も、それぞれの特徴に従って向きを変える。本村かんなさんは今、自身の向きを決める途上にある。

第2章

不登校を経て、世界初となる数学の証明に挑んだ高校生

野崎舞さんは幼い頃から算数が得意だった。親にも勧められ、中学受験では第一志望の中高一貫校に入学することができた。だが、友だちとの人間関係に悩み、中2の途中から休みがちとなった。

「イジメを受けたわけでもないので、周囲からはなんで来なくなったのかと思われていたみたいです。自分と闘いながら行けるときは行っていましたが、中3の3学期はほとんど行きませんでした」

「死にたい」と口にしたこともある。無為に時を過ごし、弱音を吐く子どもの扱いは難しいはずだ。もし我が子が同じ状況になったら、筆者ならとりあえず「学校に行け」と叱りそうだが、舞さんは母親から「学校に行きなさい」とはついに一度も言われなかったという。

「今どきの不登校の子って、とりあえず制服で家を出て、どこかで時間を過ごすのがほとんどじゃないかと思います。親にバレるのが嫌だから。でも、私の場合、学校に行けって言われなかったから家にいやすかったんです」

父親と母親は舞さんが中学に入った頃に離婚していた。以来、自分と2歳上の姉と母親の３人で暮らす。

母親の圭子さんがふり返る。

「別れた夫とは普通に連絡を取り合っていましたが、娘に『言わないで』と釘を刺されていたので、不登校のことは伝えませんでした。長女にも辛い思いをさせましたし、誰にも相談できなかったことが大変でしたが、一番苦しんでいたのは舞でした」

圭子さんは当初、娘に登校してほしい気持ちを強く持っていた。

「口ではたしかに学校に行けとは言いませんでした。でも、舞が登校すれば私もホッとしましたし、そんな様子を隠さなかったので、私が学校に行ってほしいと思っていることは舞にもわかっていたはずです」

子どもが攻撃的になっても、すべて受け入れた

しかし「嫌だけど学校に行っている」と泣きながら訴える舞さんの話を聞くうちに考えをあらためたという。

「学校に行くことが舞を苦しめていることがわかったからです。それからは舞が攻撃的になっているときも言い争いはせず、何でも受け入れて、とにかく愛情を注ぐことだけを考えていました。『死にたい』と言っていましたが、どこまで思い詰めているのかわからないので怖かったですね。『生きてればいい』って何度も言いました」

塞ぎ込んだ気持ちを少しでも上向けてほしい。そんな思いから圭子さんは舞さんに料理を勧めた。

「デミグラスソースを一から作ったビーフシチューなど料理をたくさん作ってくれました。舞が特に熱中したのはパン作りです。食パン、クロワッサン、ロールパン、デニッシュロール……。小麦粉の種類にも凝っていました」

圭子さんに言われて利用しはじめた動画配信サービスでの映画鑑賞も舞さんの新たな趣味になった。アクション系からドキュメンタリーまで、ジャンルを問わず、1日2本のペースで見つづけた。

「不登校でしたが、あんまり生活が荒れることもなく、パン作りとか映画鑑賞

にハマっていたので、人間らしい生活をしていたんじゃないかと思います」（舞さん）

次第に前を向いて将来を考えられるようになったが、辛い記憶を呼び起こす同じ学校に戻りたいとは思わなかった。母親と相談し、籍を置いていた中高一貫校を一旦離脱することを決意。塾に通って準備し、あらためて高校受験をして合格したのが文京学院大学女子高等学校（理数キャリアコース）だった。

「試験の点数がよかったとしても、私の場合、中学での欠席日数が多すぎたので、高校選びに苦労しました。その点、文京はいろいろな背景を持つ子を受け入れてくれる学校だったので、ありがたかったですね。多様性を重んじる校風で、海外からの留学生も多く、居心地がよかったです」（舞さん）

得意の数学で研究テーマを探す

久しぶりの学校生活に慣れてきた頃、舞さんに新たな目標ができた。それが、高校2年の3学期に予定されていたタイへの研修旅行「タイ研修プログラム」

だった。同校と連携するタイの高校や大学で授業を受けたり、サイエンスフェアで発表したり、現地の科学館で講演を聞いたりするなど9日間のプログラムで、「参加しなきゃ損」と思ったという。

この研修に参加する選抜メンバーに入るには、サイエンスフェアで発表するための研究に取り組み、一定の成果を出す必要があった。舞さんは、得意科目の数学で、何か研究をすることにした。といっても高1で、いきなり研究ははじめられない。

「数学ってどうやって研究するのか最初はわからなくて、よく先輩にアドバイスをもらいに行きました。物理、化学、生物学から研究テーマを決める生徒は多いのですが、数学を選ぶのは毎年1人くらいなんです。数学仲間が少ないので、先輩には仲良くしてもらいました」

研究テーマを決めたのは高2の5月頃だった。

「題材を求めて、YouTubeでいろんな数学の定理を紹介する動画を見ていたんですが、その中で『ピザの定理』に出合いました。それで『これ、拡張できないかな』と思いついたんです」

ピザの定理とは、ピザのような円板を切り、２人で分ける方法に関する定理である。

ピザの定理を理解しやすくするため、普通のピザを8等分して２人に分ける方法を先に説明しておきたい。まず中心を通る直線で半分にカットする。次に中心を通って最初の直線に垂直な直線でカットする（この時点で４等分に分けられた）。さらに、中心を通って最初の直線に45度をなす直線（右回りと左回りに45度の直線２本）でカットする。こうしてピザは8等分され、２人に４ピースずつ平等にピザを分け合うことができる。

それではピザの定理を説明しよう。まず円板内部ならどこでもいいので1点を選ぶ。その点を「切り分けの中心」と呼ぶことにする。切り分けの中心を通る直線を45度ずつ回転させて8個に分けたとする。円板の中心と切り分けの中心がずれていると、1ピースの大きさが変わるので、一見して、２人で平等に分けられそうにない。ところがピザの定理によれば、１人がまず1ピースを取

図１

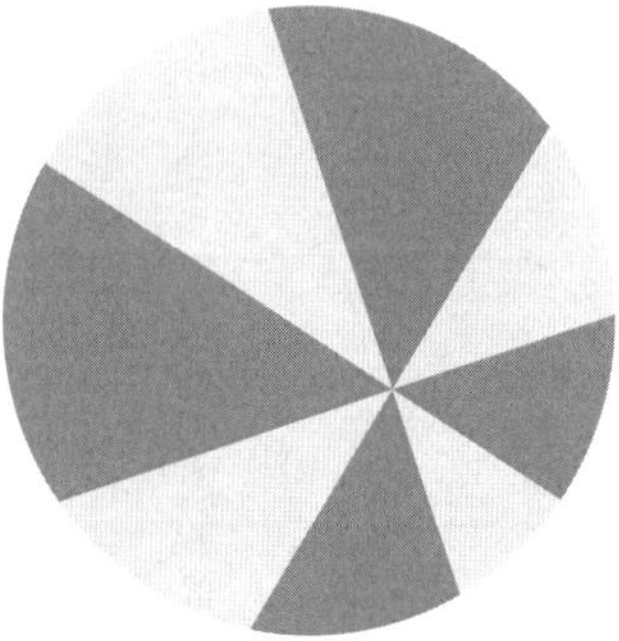

グレー部分と薄いグレー部分の合計は同じになる。
参考：野崎舞「ピザの定理の正Ｎ角形への拡張―内部２Ｎ角形と外部の対称性を用いた証明―」

り、もう1人がその隣の1ピースを取るという具合に順番に1ピースずつ取っていくと、平等に分けることができるという（**図１**）。切り分けるのは8個以外にも、12個、16個、20個など、8以上の4の倍数であれば同じことが成り立つという。

誰も結論を出していなかった証明にチャレンジ

１９６８年にチャレンジ問題として数学雑誌に登場した後、複数の証明が与えられて今に至るが、このピザの定理を拡張するとはどういうことなのか。

「円板ではなく、正多角形（すべての辺の長さが等しく、角の大きさもすべて等しい多角形）の場合にピザの定理が成り立つかどうかを証明しようと考えたんです。1年生のときに星型正多角形の公式を扱ったのがヒントになりました。念のため、論文検索サイトで先行研究がないか調べたところ、まだ誰も結論を出していませんでした」

もし証明に成功すれば、世界初の成果となるわけだ。だが、舞さんの試みは周囲の理解をなかなか得られなかった。

「先生方には『本当にできるの？』ってずいぶん言われました。私より前に数学をテーマに研究した人たちは大体、先輩たちの研究を引き継いで発展させるような課題に取り組んでいたからです。ゼロから新しいテーマで研究して本当にうまくいくのかって心配されたんでしょうね。でも私は世界で誰もやってないことをやってみたかった（笑）」

不安の声をよそに研究をスタートさせたものの、すんなりとは進まなかった。ああでもない、こうでもないと図を描いてみたり、計算してみたりしても埒が明かない。ヒントを得るために文献に当たっても、ピザの定理について日本語で書かれたものがほとんどない。なんの進展もないまま2か月が過ぎた。

「ピザの定理」の第一人者に英語でメール

一筋の光がさし込んだ気がしたのは、ピザの定理について英語のキーワードでGoogle検索をしたときだった。ピザの定理に関する文献に頻出する名前を見つけたのだ。それがルイジアナ州立大学シュリーブポート校数学科の元教授リック・メイブリー（Rick Mabry）さんだった。

「おそらくピザの定理に関する研究の第一人者だなと。この人のホームページを見ると最終更新が2005年で止まっていたので、連絡を取っても無駄かなと思ったんですが……」

ダメ元でメールを送ったところ、なんとすぐに返事が来た。「あなたのような若い生徒がピザの定理に興味を持ってくれて嬉しい」との書き出しで、関連する論文も添付してくれていた。

「びっくりしました。夜の10時頃に送ったら、１時間後には返事が来たんです。感動しすぎて、学校の先生たちに『返事が来ました！』ってメールしました(笑)。そこからリック先生と毎日メールでやりとりするようになったんです」

どんなやりとりだったのか。

「リック先生からのメールには毎回、ピザの定理に関連する問題が付いているんです。『次はこんな問題に挑戦してみよう』って。これを解くのが大変で、２日かかることもありました」

ところで、日本の高校生が大学の先生にいきなりメールを出して、しかも英語で教えを乞うのはかなり珍しい行動に思える。以前から海外の人とメールでやりとりをする習慣があったのか。

「ないですね。英語を勉強するのも好きじゃありません。でも高校にネイティブの先生がいっぱいいらっしゃったので英語を使ってコミュニケーションを取ることにあまり抵抗は感じていなかったんです。それと不登校時代の映画鑑賞も役立ったかもしれません。好きな映画は何度も見て、台詞を覚えるくらいだったので。といってもやっぱり英語で長文メールを書くのは大変でした。どちらかというと数学より英語の方が鍛えられたんじゃないかと思います（笑）」

ピザの定理に関する第一人者という強力な助っ人を得て、舞さんの研究が一挙に前進したかというと、そうではないという。

「大学レベルの知識（積分など）を使えば、実は簡単に証明できるんですが、高校レベルの知識しか使えないので苦労しました。リック先生も『うまくいくかわからない』って仰るんです」

リック先生とのメールのやりとりが始まったのは7月22日。それから1か月経ってもまだ証明完成の見通しは立たなかった。周囲の同級生たちが物理、化学、生物学などに関わる実験に順調そうに取り組んでいる様子がいやでも目に入り、気が焦った。

「実験をすればそのたびに何か結果が得られるので、他のみんなは着々と前に進んでいるように見えました。でも数学の証明って最後まで結果が見えないんですよ。数式を書きつらねている間は、どこで一段落するのか、証明が完了するのか、わからない。うまくいきそうだと思っても躓いて、引き返さなければならないこともよくあります」

家族旅行中にひらめいた

突破口が開いたのは夏休み中の8月中旬、家族で北海道の小樽《おたる》を旅行中、電車に乗っているときだった。

「それまでずっと行き詰まっていた計算が、こうすればうまくいきそうだってひらめいたんです。電車内で『うわー』って叫びましたよ（笑）。その後ホテルで実際に計算が合うことを確認して、すぐにスマホでそれを写真に撮ってリック先生にメールで送ったんです。『これでどうですか』って。『正しいよ。よかったね』って返事をもらいました。気分転換って大事だなと思いますね。一つのやり方に固執するとうまくいかないことが、視点を変えると簡単にできますから」

小樽でのひらめきの後、研究はトントン拍子に進み、9月までに証明が完成した。正方形、正六角形、正八角形など頂点の数が偶数の正多角形の場合に、拡張版ピザの定理が成り立つことを証明したのである。

最高峰の科学コンテストで賞を獲得

担任教師に勧められ、舞さんは研究成果を「第17回高校生科学技術チャレンジ（JSEC2019、現在は高校生・高専生科学技術チャレンジ）」に応募した。日本の自由研究コンテストの中では最高峰に位置づけられるコンテストである。

その結果、舞さんの「ピザの定理の正N角形への拡張―内部2N角形と外部の対称性を用いた証明―」は審査委員奨励賞を受賞した。

「最初はJSECの価値をわかっていなかったんですが、応募した後、予備審査、一次審査を通過するたびに、それまで話したことのない先生と校内ですれ違ったときに『野崎さんだよね、頑張って』などと言われることが何度もあったので『あれ、これってすごいことなのかな』と思いはじめました（笑）」

母親の圭子さんもＪＳＥＣを知らなかった。

「舞から審査を通ったことは報告されて、『あー、おめでとう』と言いましたが、何がすごいのかよくわかっていませんでした。大きな賞であるのがわかったのは日本科学未来館で開催された最終審査会（12月14、15日）です。観衆がたくさん集まっていましたから。ところが、最終審査会の最後の表彰式だけ舞に『帰って』と言われたんです」

舞さんによれば「受賞しているはずがないので恥ずかしくて帰ってもらった」という。圭子さんが続ける。

「家に帰ってインターネットで舞が受賞していたことを知りました」

晴れの舞台を見逃したわけだが、「立派だ」と思ったという。

「努力が実を結んで娘にとってもよかったし、私もとても嬉しかったです。何枚も紙に書いて計算したり、図を描いたり、机で居眠りしているかと思ったら急に起きてまた計算したりするような様子を見ていました。やる気が出たときの集中力はすごいと思います。やる気がないときはまったくしないんですが

（笑）。不登校を経験して舞は強くなったと思います。私も育てられましたし、苦労が親子を成長させてくれました」

ＪＳＥＣに続き、12月21、22日に開催された「サイエンスキャッスル２０１９関東大会」でも優秀ポスター賞を受賞するなど、舞さんの研究は高く評価された。リック先生も舞さんの快挙を喜んでくれた。ちなみにＪＳＥＣの審査で、研究内容を紹介するポスターの謝辞の中でリック先生に言及していたところ、舞さんは審査委員からどういう経緯で連絡を取り合うようになったのかと質問を受けたという。自由研究で海外研究者のアドバイスを受ける例は珍しいことのようだ。

タイのサイエンスフェアに参加

年が明け、1月4日、舞さんは同級生11人とともにタイへ旅立った。高校入学以来の目標に据えていた「タイ研修プログラム」に団長として参加するためだ。

タイの提携校で開催されたサイエンスフェアで舞さんは自分の拡張版ピザの定理に関する発表を行った。

「発表時間がたった６分なので説明する内容を絞らないといけないのが大変でした。タイに行く前に学校で同級生や先生を前に日本語で発表の練習をしたときはみなポカーンとしていたんです。あまり数学的に詳しく話をしてもダメだと痛感して、研究をどう進めたか、どういうタイミングで結論が出たかといった内容を中心に本番用の英語の台本を用意しました。ところが実際の発表では、私がしゃべりはじめて５秒後に質問が飛んでくるんです（笑）。タイの方々って積極的で、圧倒されました。発表の場面以外でも、話す時間があるんですが、どんどん質問してくる。それに答えられなくてちょっと恥ずかしかったですね。日本に帰ってきて、もっと頑張らなきゃってモチベーションが高まりました」

大学では経済を学びたい

大学でも当然、数学を専門に学びたいのかと思ったら、そうではないという。

「経済学や商学を学ぶつもりです。父が商社マンで、海外を拠点に、英語だけでなく第三言語も使って仕事をしている姿勢に憧れています。自分も同じような仕事をするのが夢です」

ＪＳＥＣや他のコンテストでの実績をもってすれば、理系学部に限られるとしても推薦入試で有利に戦えるはずである。しかしあえてその強みを活かさず、一般入試にチャレンジすることにしたという。

「不登校期間のおかげで自分が本当に何をしたいのかを考えるようになりました。ＪＳＥＣで好成績を残したら普通は推薦入試を考えるはずですが、ベルトコンベヤに乗ってそのまま進むのはやめようと思いました。私は本当は経済がやりたいんだからって。母も父も私がやりたいことを応援してくれるので感謝しています」

たとえ偏差値の高い学校に通っても、あるいは大学に通っても、海外の研究者に直接メールを出して英語でやりとりする力はなかなか身につかないのではないか。不登校中、映画鑑賞に熱中し、英語の台詞を覚えたことなどで実践的な英語力を身につけたとしたら、舞さんは不登校でハンディを負ったのではなく、むしろ日本式の英語教育の弱点を自分で補強したと言えるかもしれない。もちろんそれは辛い道のりでもあったに違いない。だが、信じて支えれば、子どもは困難を乗り越え、想像以上の成長を遂げる。

舞さんを支えたリック先生ことリック・メイブリーさんがメールインタビューに答えてくれた。

――２０１９年の夏、舞さんが旅先からメールで、行き詰まっていた箇所を打開する計算結果を送ってきたときに何を感じましたか？

もちろん嬉しかったです。これで残りの研究もすんなり進むとわかりましたから。彼女は証明の最も難しい部分を解決したんです。安心しましたし、舞も自分のことが誇らしいだろうと思いました。

――舞さんの今後に期待されることはありますか？

舞が将来どうなるのかなんて誰にもわかりませんよ！　日本の学生は大学入学時にその後受けるコースをすべて決めるんですか？　私の場合、生物学から化学へ、そして物理へ、数学へという具合に進路を変更してきました（自然な成り行きですね！）。それぞれの分野から刺激を受けましたよ。大学では才能豊かで、素晴らしい、驚くべき人やアイデアにしばしば出会います。偶然の出来事や、突然の出会いで人生が大きく転回することだって珍しくありません。私が望むのは舞が本当にやりたいことを見つけてくれることだけです。何を選ぶのであれ、彼女は成功をつかむはずです。

第3章

曾祖父のために新聞の字を拡大できるアプリを開発した高校生

高校1年生の大塚嶺《れい》さんは、動画配信サービスNetflixのヘビーユーザーで、常時5000本は配信されている作品の5割弱は見ているという。映画、ドラマ、アニメなど、ジャンルは問わず、気になったものは片っ端からチェックする。シリーズものはまず1話だけ倍速で視聴し、続きを見るかどうかを決める。これは、中学校に入って以来の趣味だという。

凄まじい視聴量だが、今どきNetflixにはまる高校生は珍しい存在ではないだろう。しかし、大塚さんの映像コンテンツの見方は少し変わっている。

「人に自分のアイデアを説明する材料として、映画のシーンが便利なんです。特に開発プロジェクトのチーム内での会話などで、一部の機能を説明するのに、現実にはまだ存在しないテクノロジーが作品内では具体化されているので、『あの映画のあのシーンに出てくるあのテクノロジー』と言えば、イメージを共有しやすい。開発のヒントにもなるので、映画をたくさん見ることは役に立ちます」

なぜ大塚さんは映像コンテンツを単に楽しむだけでなく、作品中に出てくるテクノロジーや、それに近いテクノロジーを、現実社会でどう実現できるのかという視点で見ているのか。

それは、先のコメントからわかるように、高校生でありながら、エンジニアとしても活動しているからに他ならない。

「ユーザーがサービスを通じて得られる体験（UX・ユーザーエクスペリエンス）や、ユーザーがシステムと情報をやりとりする接点（UI・ユーザーインターフェイス）に興味があります」

AI英会話アプリを開発

大塚さんはこれまでにいくつかのアプリやサービスを開発している。

2021年5月には仲間とともに開発したAI英会話アプリ「AIbou」をApp Storeにリリースした。テキストか音声で英文を入力すると、AIが英文を返してくれるチャット形式のiOSアプリだ。雑談、チケット予約、就職面接、病院の予約など、様々なシチュエーションがあらかじめ用意されており、

AIとメッセージをやりとりすれば英会話の練習になる。アプリ名に込めたのは、英会話力の向上を助けてくれる相棒としてのAIという意味だ。2021年9月からイギリス留学中の大塚さん自身の体験も活かされているという。

大塚さんは小学校5年生のとき、プログラミング教室のTech Kids School（本部・渋谷）に入り、プログラミング言語やアプリ開発の基礎を学んだ。きっかけは、小学校で配布されたチラシ。新しい教室のイベントへの参加を募る内容だった。

当時はプログラミングの何たるかもまるで知らなかった。それでも親に「やりたい」と言ったのは、小学校3年生の頃から撮りためた画像データを整理したり、編集したりするために、パソコンの使い方を覚えたかったからだという。

「小3のとき、6年生まで誕生日プレゼントもクリスマスプレゼントもいらないという約束で、念願の一眼レフのデジタルカメラを買ってもらい、写真撮影に熱中していました。カメラ用のSDカードが画像データでいっぱいになるたびに家のパソコンに保存してもらっていましたが、その作業も大変でしたし、画像編集にも興味がありました」

プログラミングの虜になる

軽い気持ちでプログラミング教室に入ったものの、大塚さんはアッという間にプログラミングの虜になる。イベント参加の後も、１か月に２回の授業では飽き足らず、月４回、週２回とどんどん回数を増やし、他の子が５年で終えるカリキュラムをわずか１年で終えてしまった。

最初に作ったのは、写真をランダムに表示させる占いアプリだったという。乱数を発生させる関数を使用したアプリだ。子ども向けのプログラミング言語には「スクラッチ」のように、「右に○回進む」「△回ジャンプする」などのブロックを組み合わせてゲームやアニメーションを作るビジュアル要素の強いものもある。大塚さんも一時は、そうしたものを試したが、すぐにやめた。プログラミング言語を使って自らソースコードを書く「コーディング」の方がより自由度が高いように思えたからだという。

なぜプログラミングにのめり込んだのか？

「幼いときから自宅の和室を工作室に改造し、厚紙や廃材、木の板でいろんなものを作ったり、造形教室に通ったりもしましたが、工作も絵も、同じ材料を使って同じような作り方、描き方をしても、習熟していないと同じものはできないし、材料によって、質も変わってくる。ところが、プログラミングの場合、コードが同じなら同じアプリケーションが作れます。コンピュータさえあれば、他に何もなくても、ゼロの状態からいきなり同じクオリティのものをいくつも作ることができる。そこが面白かったです」

デジタル時代ならではのクリエイティブな世界の魅力に、小学生にして気づいてしまったわけだ。

Tech Kids School のカリキュラムを修了した後は、Life is Tech! という中高生向けのプログラミング教室に入ろうと思ったが、中学受験が目前だった。母親が事情を語る。

「通っていた小学校は同級生の大半が中学受験するので、嶺も受験すると決めていました。両親ともに公立高校出身なので、何が何でも私立中学へとは考えていませんでした。ただ、受験するからには自分を活かせる学校に進学してほしい。全力で頑張って入れなければ、公立で切磋琢磨するのもいい。プログラミング教室の授業回数を増やしたいと嶺が言ったときも、人生設計を自分で考えて、勉強もちゃんとやることと条件を付けたんです」

プログラミング歴１年で、コンテストに応募

ところが、思惑通りには進まなかった。大塚さんが、あるコンテストに目を付けたからだ。

「Tech Kids Schoolを辞める日に、『こんなのがあるよ』と小学生でも参加できるコンテストのチラシを何枚か渡されたんです。その中に『未踏ジュニア』のチラシがありました」

未踏ジュニアとは、「独創的なアイデア、卓越した技術を持つ17歳以下の小中高生及び高専生を支援するプログラム」（「未踏ジュニアとは」https://jr.mitou.

org/about より）で、採択されると、各界で活躍するエンジニア・専門家の指導と、50万円を上限とする開発資金の援助を受けて、新たなソフトウェアやハードウェアを開発できる。同じ「未踏」を冠する事業として有名な未踏ＩＴ人材発掘・育成事業は、経済産業省所管の独立行政法人情報処理推進機構が主催する25歳以下の若者を支援するプログラムだが、未踏ジュニアの方は協賛企業の支援の下、未踏卒業生によりボランティアで運営されている。

大塚さんは受験勉強にも取り組む約束をした上で、応募することにした。

申請書類には、自分が開発したいもののアイデアを記す必要がある。しかもそれは独創的でなければならない。大人なら、プログラミング歴1年で世の中にまだ存在しないものを生み出そうなんて思わないかもしれない。しかし小学生ならではの大胆さというべきか、大塚さんは臆せず、自分のプログラミングの知識を活かして何が作れるかを考えはじめた。

ひいおじいちゃんのためにアプリを作りたい

まもなく大塚さんの頭に、東海地方に住む曾祖父の顔が浮かんだ。将棋の相手をしてくれる曾祖父を大塚さんは慕っていたという。曾祖父のおかげで将棋の面白さに目覚め、一時期は将棋会館にも通った。

曾祖父の悩みは視力の衰えにより大好きな新聞を満足に読めなくなっていたことだった。白内障を患っていたが、92歳と高齢のため手術もできず、積極的な治療を受けられずにいた。白内障用老眼鏡の上にメガネ型の拡大鏡をかけ、さらに虫眼鏡を使って何とか新聞を読もうと奮闘していたという。

スマホのアプリ版の新聞なら文字を拡大できて読めるのではないかと試してもらったが、設定可能な限界まで拡大しても曾祖父には十分ではなく、小さくて読みづらい上、拡大しすぎると数インチの画面に収まる文字量が減り、どの行のどこの文章を読んでいるのかわかりにくくなるという欠点もあった。

困っているひいおじいちゃんをテクノロジーの力で助けることはできないか。大塚さんのアイデアは、この問いから膨らんでいった。スマホよりも大きな

iPadのようなタブレット端末を使うとして、どこまで文字を拡大できるようにすべきか、誤読を防ぐためにどんなフォントを選ぶべきかなどを検討し、未踏ジュニアへ応募した。

ところが、採択の可否が決まる1週間前、曾祖父が他界。残念ながら大塚さんの思いは宙に浮くことになったが、未踏ジュニアへの申請を取り下げることはなかった。文章を読みたいのに視力が衰えたために読めない人はひいおじいちゃん以外にもたくさんいるのは明らかだったからだ。曾祖母も、祖母も、大塚さんの開発のテスターとなった。

プロジェクトの進め方を学ぶ

2017年6月、大塚さんのアイデアは未踏ジュニアに採択された。早稲田大学大学院生で、本家の未踏事業で優れた成果を上げたことから未踏スーパークリエータ（2013年度）の認定を受けた鈴木遼さんが指導役を担い、開発のイロハを伝授してくれた。

「プログラム開発の途中段階でも他の人にフィードバックをもらって改良し、またフィードバックをもらって改良するというプロジェクトの進め方を鈴木さんに学びました。ひいおじいちゃんは紙の新聞の代わりに画面サイズに限りのある電子端末で読むと、文章中のどこを読んでいるかわからなくなると言っていて、その課題を解決したいと思っていましたので、Tobiiというアイトラッキング装置（視線を追跡し、人がどこを見ているのかを捉える装置）を使って、ユーザーが読んでいる文章にマーカーを引く機能も追加することにしました」

同年10月、大塚さんのアイデアは「らくらく読み読み」というアプリとして形になった。同アプリは高評価を受け、大塚さんは前年にスタートした未踏ジュニア事業で、当時としては最年少の12歳で未踏ジュニアスーパークリエータに認定された。懸案の受験でも中高一貫の渋谷教育学園渋谷中学校への合格を果たした。

未踏ジュニアに挑戦し、成果を上げたことで大塚さんは次のチャンスをつかんだ。２０１８年、孫正義育英財団２期生に選ばれたのだ。同財団は「『高い志』

と『異能』を持った若者に自らの才能を開花できる環境を提供し、人類の未来に貢献する」ことを目的に、２０１６年12月に設立された。創設者・代表理事は財団名の通り、孫正義・ソフトバンクグループ代表、副代表理事は山中伸弥・京都大学iPS細胞研究所名誉所長が務める。財団生に選ばれると、新しい価値観やテクノロジーに触れる環境や、一流の志を持つ仲間と交流する機会を得られ、さらに必要に応じて夢を実現するための支援金を給付される。

コミュニティがどんどん広がった

「未踏ジュニアに参加し、孫正義育英財団の財団生に選ばれて何より良かったのは、テクノロジーに興味を持つ人たちとの繋がりができたことです」

財団が主催する講演会に参加したり、渋谷にある交流スペースを利用したりできる。定期的に開かれるイベントで、各財団生は自分が興味を持っている研究開発テーマについてプレゼンして、各業界の専門家からアドバイスをもらったり、他の財団生たちが「自分もやってみたい」と集ってその場でチームが立ち上がったりするという。

「未踏ジュニアも孫正義育英財団も、同じソフトウェアでもセキュリティー方面に関心のある人や自分とは異なるプログラミング言語を使っている人、ロボットなどハードウェアの開発に興味のある人など、自分にはそれまで見えていなかった、いろんな分野に興味を持っている人と知り合えます。知り合いから別の知り合いを紹介してもらいながら、コミュニティがどんどん広がりました。みんな時間を無駄にしないと言いますか、やりたいことに全力で取り組んでいる。そんな姿に僕も刺激を受けています」

仲間たちと作った街歩きのアプリ

実際、孫正義育英財団以外の仲間とも繋がり、大塚さんが企画したプロジェクトもいくつか立ち上がっている。その一つが、渋谷スクランブルスクエア株式会社が運営する渋谷キューーズ（ＱＷＳ）が推進する「ＱＷＳチャレンジ」の支援を受けて２０１９年から開発を進めていたＡＲアプリ「Creace（クリエイス）」。

ARは「ポケモンGO」で有名になった技術だが、簡単に説明しておこう。まずARとはAugmented Realityの略で、日本語では拡張現実と訳される。スマホやタブレットなどのカメラで、現実世界を画面に表示させる一方で、そこに何かコンピュータグラフィックス（CG）のオブジェクトを重ねて表示させるのが基本的な技術だ。位置情報を使えば、CGオブジェクト（たとえばポケモンのモンスター）が建物の前や公園のベンチなどに出現して、動き回るなど、実際にそこに違和感なく存在するような見せ方も可能だ。

Creaceについては、まずは案内板のようなものをイメージしてもらえばよいだろう。といっても普通の案内板は、現実世界に物理的に置かれているが、Creaceでは3Dオブジェクトとして表示される。この3Dオブジェクトの案内板は、位置情報と連動しており、実際にその場所の近くで、スマホかタブレットを向けないと、その周辺にどんな店舗があるのか、どんな施設があるのかといった情報にアクセスすることはできない。不便にも思えるが、多くの場合、ある場所の周辺情報がほしくなるのは、その場所を訪れたときであることを考えてみればむしろ便利だと言える。前もって地図アプリを使って地名で検索したり、検索アプリで店名や名所を調べたりする手間が省けるからだ。あらかじめ情報を仕入れておけば、それだけ効率的に行動できるが、それだけでは面白味がない。Creaceは、出たとこ勝負で行く先を探索せざるを得なかったかつての町歩きの楽しさをバージョンアップしてくれるツールと言えるだろう。

もう一つの特徴は、Creace上ではユーザーが思い思いの3Dオブジェクトを自分で配置できる点にある。現実の世界には、勝手に自分のものを置くことはできないが、拡張現実の世界なら自由に置けるわけだ。

「観光地の何かのお城の跡地などで、現実には失われてしまったお城の3Dデータを拡張現実内に置いて、カメラ越しに見ることもできるし、まったく架空のオブジェクトを置くこともできます。拡張現実のプラットフォームです」

コロナ禍、2か月でサービスにこぎつけた

２０２０年夏には、孫正義育英財団の仲間と「Nolack（ノラック）」というウェブサービスをリリースした。新型コロナウイルスの感染が世界だけでなく日本でも広がり、一部の地域でマスクや防護服の不足が生じた。一方で、感染に対する不安がそれほど大きくない地域では医療用品や衛生用品の余剰が生じた。そのアンバランスを解消すべく、大塚さんらがアイデアを出し合い、同年2月にチームを結成して開発したのがNolack（No lack、つまり「欠品なし」の意）。どの物資がどれだけ余っているかを登録する側、物質が足りず困っている側を、Nolackのウェブサイトを通じて繋げるマッチングプラットフォームである。

「当時、資金力のある人たちがマスクなどを全国各地に送る活動に取り組んでいましたが、本当に必要とされる場所ではなく、すでに十分ある場所に送ってしまった事例がいくつかありました。必要な物資を必要な場所へ的確に提供できるサービスを目指しました」

別の機関が同様のサービスをはじめたり、必要物資の増産体制が強化されたりした結果、Nolack の利用者は期待したほど伸びなかったというが、短期間でサービス開始にこぎつけた大塚さんら10代・20代の若者の行動力と機動力には目を見張るものがある。

「コロナ以前から、遠方の人とチームを組んで何かのプロジェクトを進めるとき、Zoom ミーティングなどのオンライン会議システムを利用していたので、パンデミックによる制限がある中でも迅速に開発を進めることができました」

大塚さんはコロナ禍以前からオンラインで活動する機会が多かった。そのため、直接会う場合とデジタルツールを介してコミュニケーションを取る場合のメリット、デメリットを考えてきたという。

「誰かにプログラムのコードについて説明するとき、物理的に近くにいれば、画面を指さしながら話したり、キーボードを借りて自分で入力したりして『こうすればいい』と実演できます。遠隔地からオンラインでやりとりするとき、同じことは不可能ではありませんが、時間がかかる。その点、リアルに会うメリットはたしかにあります。リアルの方が情報量が圧倒的に多いんです。でもリアルとオンラインのコミュニケーションの間に本質的な違いがあるわけではないと思います。僕自身はオンラインでのやりとりに慣れていたので、Zoomミーティングやオンライン授業が盛んになっても戸惑うことはありませんでした」

パンデミックを機にオンラインでの活動時間が増して、対面での活動に比べてできないことが増えたとよく言われる。しかし、オンラインでできないわけではなく、単に時間がかかるだけだ。一方、オンラインだからこそできることも確実に増えている。そのための技術も開発したいという。大塚さんへの取材は、1回目こそ渋谷のカフェのオープンテラスでリアルに会って行ったが、2回目はイギリス留学中の大塚さんと日本の筆者でZoomを介して行った。オンライン会議システムがなければ、2回目はなかったはずだ。

世界で使われるものを生み出すために

両親は幼い頃から海外を目指せと言い続けていたという。

「子どもには小さい時から、自分の好きな仕事で、社会のため、人のためになることをすれば、多少お金がなくてもどんな苦境に立たされていても死ぬときに満足して死ねるという話をよくしていたんです。そのためには海外を見ておかなければならないって」（母親）

３つ上のお兄さんもオーボエを学ぶために海外に留学したことがある。子どもの好きなことを応援して伸ばすという教育方針のようだ。

大塚さんはプログラミングの知識を深め、世界の人と繋がるためにも、英語をもっと学ばなければならないという思いがだんだん強くなっていったという。

「プログラミングに関する最新の情報はほとんど英語で書かれています。プログラムを書いてエラーが出たとき、そもそもエラー文自体が英語で表示されるし、エラーに関する検索結果も圧倒的に英語で書かれたものが多いからです。プログラミング以外の分野でも、論文やネット情報など英語の情報の方が多い。

世界で使われるものを生み出すには、語学を磨き、異文化を知ることは不可欠だと思いました」

中1の夏にはスタンフォード大学で開催されたITサマーキャンプに参加し、Apple、Google、Facebook（現在はMeta）など近隣のシリコンバレー企業をめぐり、12月には中国のシリコンバレーと呼ばれる深圳を訪れ、テンセントなどIT企業を訪問。中2の夏にはイギリスに短期留学。そして2021年、中3の9月からはイギリスでの長期留学に入った。

テクノロジーで人の役に立つものを作るのが将来の夢だという。

「医療の分野でテクノロジーを使って問題を解決する、そんな仕事をしたいと考えています」

視力の衰えたひいおじいちゃんが大好きな新聞を読めるようなアプリを作りたい――。そこからスタートした大塚さんの挑戦がこれからも続く。

第4章

ゴミとして捨てられるおがくずで、断熱材を開発した6名の高校生チーム

タイトルを目にして「?·」が頭に浮かんだ。「おがくずを用いた新しい耐火性および断熱性素材の開発」。おがくずはいかにも燃えやすそうだ。ところが、耐火性を持つ、すなわち燃えにくいのだという。いったいどういうことなのだろう。

この奇妙な素材を生み出したのは、岡山県立岡山一宮高校の生徒6名。彼らはこれを2020年の「令和2年度スーパーサイエンスハイスクール（SSH）生徒研究発表会」で発表し、全国2位に相当する国立研究開発法人科学技術振興機構理事長賞を受賞した。

研究内容の概要によれば、この素材で皿（蒸発皿）をコーティングし、その上に生卵を載せ、皿の下からガスバーナーで炙っても、素材が燃えることはなく、生卵もしばらくそのままで、目玉焼き状態に変わるまでに約40分要したという（何もコーティングせずに皿をバーナーで熱した場合には5分で固形化する）。たしかに耐火性と断熱性に優れている。

この研究に筆者が惹かれたのは、燃えやすそうなおがくずを燃えにくくするというアイデアの奇抜さと、その新素材が環境に優しいかどうかまで検証していた点にある。6人チームの役割分担にも興味を持った。

きっかけは、NASAも注目したスターライト

研究チームのリーダーを務めたのは、現在は九州工業大学1年生の吉田直希さん。吉田さんが断熱性のある素材に興味を持ったきっかけは、インターネットの記事「超素材Starlite の秘密を墓場まで持っていった男、モーリス・ワード」を読んだことだったという。

「スターライトは、モーリス・ワードというイギリスのアマチュア化学者が1990年に発表したものです。1万度（摂氏）の高熱に耐え、軽くて硬い上に加工もしやすい素材で、宇宙船や航空機に使えると期待され、NASA（アメリカ航空宇宙局）や大手企業から手を組もうと執拗にワードさんはアプローチされたようです。ところが、お金の問題に嫌気がさしたらしく、ワードさんはスターライトの作り方を誰にも伝えずに2011年に亡くなりました」

噂では、ワード氏は家族だけに製法を伝えているが、家族も口を固く閉ざしており、オリジナルのスターライトの秘密は明らかになっていないままらしい。

吉田さんらは我こそはと意気込んでスターライトを作ろうとした。ヒントにしたのがアメリカのYouTuberで、発明家のベン氏によるYouTubeチャンネル「NightHawkInLight」で配信されているスターライトに関する一連の動画だ。たとえば「A Super-Material That Can Be Made in The Kitchen (Starlite Part1)」と題された動画で、ベン氏はどこの家庭の台所にもある材料で、スターライトに似た性質を持つ素材を作ったとし、ペースト状にこねたその素材を生卵に塗りつけ、ガスバーナーで炙る様子を紹介している。卵は生のままだった。その材料とはコーンスターチ、ベーキングパウダー、そしてアメリカの学校などで一般的に使われる白い糊である。ベン氏はこの動画中、「オリジナルのスターライトの作り方に近いかどうかはわからないが、かなり有望と思われる」と述べている。

吉田さんらはまずベン氏のレシピを試した。

「YouTubeで紹介されている通りの材料で実験しても再現できませんでした。アメリカから同じ糊も輸入しましたが、何度やっても熱くなる。僕たちのやり方がまずかったのか、動画では公開していない秘密の材料が加えられているのかわかりませんが、低温のガスバーナーを使っている可能性もあると考えています」

YouTubeには「こんな実験をやってみた」という動画があふれている。筆者などは「へぇー、すごいもんだ」と感心するだけだが、案外、いい加減なものもあるのかもしれない。

廃棄物を使って新素材を作りたい

「スターライトを作りたかったんですが、よく考えると、化学メーカーや建築会社などがこれまでとてつもない資金を注ぎ込んでいるにもかかわらず開発に成功していないものを高校生が張り合って作るのは無理だなと思い至りました。そこで、どうせ断熱材を作るのなら廃棄物を再利用しようと考えたんです」

廃棄物を再利用できれば、環境問題の解決に貢献できる。新しい素材に付加価値もあれば、「(科学コンテストでの)賞も獲得できる」との打算もあった。しかし、原材料になりそうな廃棄物はなかなか見つからなかった。

「いろいろなものを試しました。接着剤も燃やしたんですが、これはダメだってすぐにわかるというか、明らかに体に悪そうな臭いがしましたね」

他の生徒も共同で利用する理科室に、しばしば悪臭を放ち、肩身を狭くしながら有望な廃棄物を探索するうち、マイクロプラスチック問題を知ったという。マイクロプラスチックとは、歯磨き粉に含まれる微細なビーズや、ポイ捨てされたポリ袋、ペットボトルなどが劣化して細かく砕かれた破片のことである。川から海へ流れ出て、食物連鎖を通じ、海洋生物はもちろん人にも健康被害をもたらすと懸念されている。

捨てられていたおがくずを使うことに

「マイクロプラスチックのかなりの割合を砕かれた発泡スチロールが占めてい

ます。それなら発泡スチロールの役割に替わる材料で、使用後は土に還る、生分解性を持つものがよいだろうということで、おがくずにたどり着きました」

近隣の製材所やホームセンターに声をかけると、無料でおがくずを提供してくれた。木をノコギリなどで切って角材や板材に加工する製材所やホームセンターでは、日常的に大量のおがくずが発生する。一部はクッション性を持つ梱包材、畜産やペットの敷物、駅ホームで嘔吐物を処理するための吸収剤などに再利用されるが、大半は焼却処分されている。焼却するにも産業廃棄物としての処理費用がかかる。タダでおがくずを引き取ってくれるなら、事業者としても願ったり叶ったりだろう。

原材料の確保のメドは立ったが、おがくずそのままでは用途が限られる。できれば大量の使用が見込まれるコップや皿などの食器、あるいは建築資材などに用途を広げたい。そのために新たなおがくず素材には、熱を伝えにくい性質（断熱性）がほしい。どうすればおがくずの断熱性を高めることができるのか。

文献を調べると、同じ木材でもコルクやバルサの方がチークやヒノキより熱を伝えにくいことがわかった。熱の伝わりやすさ、伝えにくさ（熱伝導率）は固体の密度でおおよそ決まる。熱の正体は原子の運動だ。密度が高ければ高いほど、言いかえると固体を構成する原子と原子の距離が近ければ近いほど、ある原子の運動が隣の原子を動かし、また隣の原子を、という具合に玉突き式に全体に広がりやすい。逆に密度が低く、固体がスカスカだと、熱は伝わりにくくなる。

そこで、密度を低くするため膨らし粉としてクッキーやパンケーキに使われる重曹、粘着性を与えるために糊をおがくずに加え、パテ（粘土のように変形しやすいペースト状の材料）を作った。

燃えやすいはずのおがくずが、燃えなかった

試しに火にかけてみると、炎が燃え移ることもなく、パテは発火しなかった。燃えやすいはずのおがくずが燃えなかったのだ。

「おがくずは粒が大きくて、空気を含んでいるので、元々、断熱性は高いんです。ただしそのままだと燃えやすい。ところが重曹と糊を加えて作ったパテは簡単には燃えなかったんです」

断熱性に加え、耐火性を持つ素材なら用途も広がる。しかしなぜパテは耐火性を示したのか。吉田さんらは窒息作用によるものだろうと考えた。重曹の実体は炭酸水素ナトリウムで、熱を加えると、分解され二酸化炭素を発生させる。その二酸化炭素により周辺の酸素が押しのけられ、つまり窒息して、パテに火が付かないのではないか。吉田さんらは、この仮説を検証することを、研究の目的に定めた。

岡山一宮高校は２００２年に文部科学省よりスーパーサイエンスハイスクール（ＳＳＨ）の指定を受け、再指定に次ぐ再指定を経て現在４期目（２０２３年度まで）を迎えている。前述したように、ＳＳＨには「課題研究（または課題探究）」と称するカリキュラムが設けられ、その中で、生徒たちは教員のアドバイスをもらいながら自らテーマを決め、実験方法を考え、結果をまとめる。おがくず新素材に関する研究も、この課題研究の時間に行われた。

男女6名がチームになる

吉田さんらのチームは6人からなる。そのうち三野《みの》仁資《ひとし》さんと後田《うしろだ》智也さんは元々、吉田さんと知り合いだった。三野さんが語る。

「1年生のときから吉田くんが面白い実験をしていて、それをよく見ていました。その場にあるものを混ぜたらどうなるかっていうような思いつきの実験です。特に断熱材の研究がしたかったからではなく、吉田くんと一緒にやりたかったんです」

他の紙川桃奈さん、山下ゆめさん、宮崎凌さんは、吉田さんらと興味が近いだろうと判断した教員によって同じチームに入った。こうして「断熱班」が結成された。

高2の秋から実験スタート。パテの材料の割合を変えて、それぞれの断熱性、耐火性を調べた。実験を進めるうち各メンバーの得意、不得意がわかってきたという。

「微量の試薬を正確に取るのが得意な人もいれば、苦手な人もいたので、適当に分担して実験していました。あと、男子だけデンプン糊を作れなかったんです。デンプン糊はパテの材料の一つで、小麦粉と水を火にかけて混ぜながら作るのですが、男子がやると失敗して焦がしてしまうので、いつも女子に作ってもらっていました。野郎どもはせっかちで火力を上げすぎたのかもしれません（笑）」（吉田さん）

カリキュラムに組みこまれている課題研究の時間の他、放課後や休日も費やして実験し、地道にデータ収集を続けた。他のグループが帰った後も、断熱班だけ残ることもあり、しばしば教員から「早く帰りなさい」と注意された。

自分の理解度に合わせ、実験装置を手作り

実験に時間がかかった理由の一つは、自作の装置にあったという。

「パテなどの熱伝導率を測定する実験装置を作りました。既製の装置は高価で、購入したくても手が出なかったからです。近くの大学に持ち込んで装置を使わせてもらうこともできたはずですが、せっかくだから自分たちで作りたかった

というのもあります。それに、そういう装置で測定したときに出てくる数値を計算する数式が当時の僕には理解できなかったんです。その数式を使えば実験自体は早くすむんですが、わけのわからない式は使いたくない。それで小学校で習う比の計算が使える装置を作ったんです。その分、データをたくさん取らないといけないので大変でした」（吉田さん）

実験装置ありきではなく、自分の理解度に合わせて実験装置を用意するという発想が面白い。世の中には便利な道具がたくさんある。だが、その動作原理まで理解して使っている人は少ないのではないか。数学界最高の栄誉とされるフィールズ賞を日本人としてはじめて受賞した小平《こだいら》邦彦は小学生が電卓を使うことに反対していた。その理由は、電卓を作る人がいなくなるから。電卓は便利で、使い方を覚えれば、速く計算できる。しかし、手を動かし、計算の原理を理解する人がいなければ電卓はもちろん、もっと高度な計算機を作る人はいなくなる、というのが小平の言わんとしたことだった。誰もが電卓を作る人になる必要はないが、研究者には「わけのわからない式は使わない」姿勢が求められるだろう。

小学校の教室でひとり本を読んでいた

吉田さんは「ちょっとひねくれた子ども」だったという。

「小学校の校庭でみんながドッジボールをしているときに自分だけ教室で本を読んでいて、そんな自分をかっこいいって思っていました（笑）。読んでいたのは『空想科学読本』シリーズです。著者の柳田理科雄《やなぎたりかお》さんが、科学は茨の道だが、自分はそれを整備する係になると書いているところに、すごい人だとしびれました。題材も面白いし、文章もわかりやすいし、中学生までにほぼ全部読破しました。それが科学に興味を持ったきっかけです」

岡山一宮高校を選んだのは「普通科が好きではなかったから」だという。

「工業高校に行きたかったんです。でも、中学の先生だったか親だったかから、岡山一宮に理数科があると聞きました。理数科はかっこいいなと名前に釣られたんです（笑）」

だが、授業で取り組む実験は物足りなかったという。

「爆発を伴う実験とかもっとあるのかと思ったんですが……」

刺激的な実験がしたかったのか？

「別に危険思想があるわけではありません（笑）。でも、放課後なら、自由に実験できました。先生に『やっていいですか』と聞いて断られたことはなかった。鉄の溶接に利用されるテルミット反応も、鉄の温度が３０００度くらいに上がるのでなかなか危ない反応ですが、先生に頼んで放課後に実験させてもらいました」

元大学教授からのアドバイス

吉田さんは好きな実験ができる環境に加えて「茨の道」を共に歩む仲間も得たわけだが、課題研究のサポート役を務めてくれた非常勤講師にも恵まれたと語る。

「非常勤講師の先生お二人に特にお世話になりました。お二人とも長く研究されてきた元大学教授でしたが、週に1回、多いときは2、3回は学校に来て相談に乗ってくれて、頻繁にやりとりさせていただきました。こちらのアイデアをつぶすのではなく、引き出してくれるような指導で、今考えると、本当に贅沢な時間でしたね」

大学の研究室でも学生1グループに対して複数のメンターが付くことは珍しいだろう。どんなアドバイスを受けたのか。

「ビーカーに入っている水気を切った後、少し水滴が残っていたんですが、『そこに何グラム付いているのか』と聞かれたんです。たしかに言われてみると、わからないなってハッとしました。自分の研究についてわからないことは何一つないようにしなさいというメッセージだったと思います。スライドに使うイラストについても、なぜそこに配置しているのか理由がなければならないと言われました。サイエンスの基本的な考え方から、レポートの書き方、発表の仕方まで叩きこんでもらいました」

非常勤講師の一人で、元岡山大学教授の山本峻三《しゅんぞう》さんも「発表用の原稿や論文の書き方の指導を丁寧に行った」とふり返る。断熱材の研究は、山本さんの専門ではないが、過去に岡山一宮で熱に関する課題研究を指導した経験があることから、吉田さんらの断熱班のサポート役に就いた。

「口頭発表用の原稿はまず話し言葉で書いて、その上で実際の発表では原稿を見ないで発表するように指導しました。緊張するのを恐れる生徒には、いざとなれば原稿を読めばいいと伝えます。それで安心するのか、本番では原稿なしで発表するものです。論文については、何度もやりとりして、文章の追加、削除などの修正をしたり、図を描き直してもらったりを繰り返して仕上げていきました」

苦い経験を経て、アイデアを引き出す指導に

吉田さんの言う「自分たちのアイデアをつぶすのではなく引き出すような指導」は、山本さん自身の過去の苦い経験に基づいているという。

「以前、私が前面に出て指導を行い、たしかに実験は効率的に進んだのですが、

生徒の反応は悪く、自分たちで『実験をした』というより『実験をやらされた』と感じたようでした。この経験を大いに反省し、その後は生徒との話し合いを大事にし、自主性を尊重するようになりました。実験指導はできるだけ全員が揃ったときに行ったり、窓口の吉田くんに伝えた内容はすぐにＬＩＮＥなどで他のメンバーにも伝わるようにしたり、各人を公平に指導することにも留意しました」

山本さんには、吉田さんが発した一言が強く印象に刻まれている。

「２０２０年2月に鹿児島で、『第５回高校生国際シンポジウム』が開催され、岡山一宮の断熱班も研究成果を発表したのですが、いい結果を残せませんでした。希望の分野で審査されなかったのがその一因のようだったので、私も自分が学会誌に投稿した論文の審査で審査員と意見が合わず、うまくいかなかった経験があると吉田くんに話し、時にはそういう残念な結果に終わることもあるよと慰めたのですが、彼は『自分は目から血が出るほど悔しかったです』と言ったんです。私自身は諦めがいい方なので、こんな気持ちになったことがないのですが、吉田くんの言葉を受けて、何とかこの悔しさを晴らさせてやりたいと思いました」

チームでつかんだ全国2位の快挙

約半年後、その機会が訪れる。冒頭に触れたように、令和2年度SSH生徒研究発表会で優秀な成績を収めたのだ。

「最終審査の日、私が学校に行く予定はなかったのですが、生徒から都合がつけばぜひ来てくださいと連絡をもらったので、出かけました。オンライン中継をみんなと一緒に見守っていたとき、『この場に私がいてもあまり役に立たないな』とつぶやくと、メンバーの一人から『先生の顔を見るだけで落ち着きます』と言われました。そこまで信頼されているのかと嬉しかったですね。受賞が決まったときは科学技術振興機構理事長賞の重みをよく理解できていなかったのですが、後で全国2位は岡山県内でははじめてと聞かされ、驚きました」

一方、吉田さんは、何らかの賞を取る手応えをつかんでいたという。

「発表もうまくいきましたし、メンバーでやれるだけのことをやった達成感もあったので、『いける』と思っていました。ただ全国２位までいけるとは思っていませんでしたが」

メンバーたちはそれぞれ大学に進学した。吉田さんは核融合へ、三野さんはバイオミミクリー（生物の機能を真似た技術の開発）へ、山下さんは建築へといった具合に将来進む分野を見定めている人もいる。紙川さんはおがくず素材開発の経験を活かし、環境に配慮した材料の研究に携わりたいという。

元々、人見知りだったという山下さんは、おがくず素材の研究を通じて自主的になったと感じている。「手が空いている人ができることをやる方式で実験をしていたので、自主的にならざるを得なかったんです。大学でも、授業だけで理解できないときは後で教授に質問することが多いのですが、それだけ積極的になれたのは課題研究のおかげだと思います」

どの分野に進むにしても、おがくず素材研究で学んだ科学的な考え方、実験のコツ、レポートの書き方、発表の仕方などは役に立つ。だが、チームワークが科学的な研究にも威力を発揮すると経験的に理解できたことも、彼らにとっては大きいはずだ。

おがくず素材の研究を進める中で、メンバー間で意見が対立することはなかったのかと吉田さんに訊ねると、こんな答えが返ってきた。

「いろんな意見が出たときは、全部試してみたんです。自分にできないことは得意な人に聞いたり、やってもらったりしました。だから一人じゃ無理でしたね」

第5章

数百万する装置を3万円で手作りし「火星の水」を研究した定時制高校の科学部

大阪在住の神野《かみの》佑介さんは、２０１７年11月、高校の科学部の代表として日本磁気学会で発表をしたことがある。内容は、常磁性磁化率の新たな測定方法。「友だちに説明するときは、これまで数百万円もする装置でしか測れなかったものを、３万円くらいの装置で測れるようにしたって言ってます。ホームセンターに売ってる木材と磁石で作ったんやでって」（神野さん）

もちろん学会では、大幅なコストダウンのことだけでなく、専門用語を駆使し、新しいアイデアによる装置の詳細や、装置を使った実験について詳しく語った。質疑応答では研究者からの難しい質問にもうまく対応した。

神野さんらは、２０１４年３月に日本物理学会Jr.セッションで最優秀賞を受賞したのを皮切りに、日本地球惑星科学連合大会高校生ポスター発表、高校生科学技術チャレンジなど、数々の学会での高校生セクションや科学研究コンテストで輝かしい賞を獲得していた。だが、高校生対象のコンテストではなく、研究者による研究者のための発表の場は、日本磁気学会がはじめてだった。

自分たちが取り組んだ研究は専門家にも通用した――。神野さんにとってこの発表は高校時代の総決算だった。

神野さんは中学校には丸々3年通っていない。

「起立性調節障害という病気でした。朝は低血圧で、起きて活動すると頭痛や吐き気に襲われるんです。小学校3年生からこの病気です。小学生の頃は午前中、保健室で過ごし、体調がよくなれば授業に参加することができたのですが、中学生の頃は保健室に1時間しかいられず、会議室に移って1人で座っていました。でも、座っているだけでも血圧が下がるんです。しんどくて、そのうち『別に学校に行く意味なくね？』と思うようになって。親が学校にかけ合いましたが、なかなか対応してもらえませんでした。親も『無理して行かなくていいよ』と言ってくれて、行かなくなりました」

定時制高校で科学部に出合う

２０１３年４月、神野さんは大阪府立春日丘高等学校　定時制の課程に入学した。

「朝からしんどい思いをしてまで学校に通わなくても、夜間定時制なら夕方から授業に出て勉強できる。1年生のときは嬉しかったですよ。午後からは血圧も上がっていくので、体調のいいときに勉強できたからです」

水を得た魚のように、と言えばいいのだろうか。神野さんは高校に入ってから、精力的に活動しはじめた。最初に熱中したのはサッカー。夕方5時半から夜9時15分まで授業を受け、その後10時半まで練習をし、家に帰り着くのは0時頃という日々を送っていた。

科学部への入部を誘われたのは、定時制通信制の高校サッカー全国大会が終わった秋だった。科学部顧問の教師の1人、谷口真基《まき》さんから「科学部に入らへん？」と声をかけられたのだ。それまで科学部に入ろうと思ったことはなかったが、「サッカー部と掛け持ちでもええよ」と誘われた。

「宇宙をテーマに実験ができる」とも聞かされ、神野さんは興味を惹かれた。

谷口さんが神野さんに目を付けたのも、「宇宙」がきっかけだった。国語科担当でもある谷口さんは、1学期の国語の時間に扱った教材「ワンダフル・プラネット！」の感想文の中で、神野さんが「宇宙が好き」と書いていたことから、この生徒はきっと科学部に入ってくれるに違いないと考えたという。それでもすぐに声をかけず秋まで待ったのは、サッカーの全国大会が終わるまで、神野さんは忙しいだろうと考えたからだった。

神野さんが宇宙に興味を持ったのは、高校に入る前に通っていた塾の講師の影響だ。その講師は物理系の学部に通う大学生で、授業中に時々、彗星やブラックホールなど、謎に満ちた天体現象について、神野さんに語ってくれた。

実験をしながら、研究内容をつかんでいった

そんな神野さんが科学部に入って最初に取り組むことになったのが、反磁性磁化率の測定実験だった。3か月後には、大きな舞台で、その実験について発表することが決まっていた。

宇宙をテーマにした実験ができると期待を膨らませていたのになんでやねん、という疑問を口にする間もなく、神野さんは、発表の準備に巻きこまれていく。

磁性とは、磁石が発生させる磁場に物質が反応して、磁石となる性質のことである。物質が外部の磁場と同じ向きに弱く反応する性質が常磁性、外部の磁場と反対の向きに弱く反応する（磁石のN極、S極のどちらを近づけても反発する）性質が反磁性だ。どの程度、強い磁石になるかを表すのが磁化率である。常磁性体（常磁性を持つ物質）の典型例は、アルミ、リチウムなど、反磁性体（反磁性を持つ物質）の典型例は、黒鉛《こくえん》、水、ダイヤモンド、金、銀などがある。

神野さんがこういった知識を得たのはもっと後だ。3人いる科学部顧問は反磁性について少し説明をしてくれたが、その説明だけでは理解できなかった。神野さんは、先に入部していた同級生の2人とともに実験作業をしたり、データの解析を手伝ったりしながら、おぼろげながら研究内容をつかみかけたところで、本番当日を迎えた。

日本物理学会Jr.セッションで最高賞

2014年3月28日、東海大学（神奈川県）で開かれた日本物理学会・第10

回Jr.セッションで、神野さんら3人は口頭発表を行った。

日本物理学会Jr.セッションは、アインシュタインが物理学に革命をもたらす論文をわずか1年で４本も発表したことから「奇跡の年」と呼ばれる１９０５年から１００年を記念して２００５年に設立された高校生向けの研究発表の場である。全国の高校から応募されるレポートによる一次選考を経て、優れたものは本大会でポスター発表に選ばれ、さらに群を抜いているものは口頭発表の機会を与えられる。

春日丘高校　定時制の科学部は、そのセッションの最終選考54校中、最優秀賞を受賞。神野さんを含めて、科学部で研究をはじめて1年足らずの３人が、いきなり最高賞を手にしたわけだ。短い期間ながら、必死で取り組めば成果が得られると、神野さんは自信を付けた。

大会後、神野さんらはさらに実験を進めた。科学部の活動時間は、毎週火曜日と木曜日、授業が終わる夜9時15分から10時半まで。その間、実験をしたり、うまくデータが得られない理由を考えて装置を改良したり、次の学会で発表する準備を進めたりした。活動時間の終わりの10分前くらいに部室へ顔を出す顧問の教師たちは、質問すれば最低限のことを答えてくれた。

ある程度体系的な知識が与えられたのは夏休みに開かれた勉強会だ。しかし、顧問の教師が生徒を指導するというより、教師も生徒も実験を通じて一緒に学ぼうとする雰囲気があったという。

神野さんにはこのやり方が性に合った。

「ずっと学校に通っていなかったので、机に向かって勉強すると拒否反応が出ます（笑）。教科書を読んで勉強しようとしましたが、ダメでした。その点、科学部での実践しながら学ぶ方法が僕には合っていたと思います」

苦労したのはプレゼンだった。

「僕は元々しゃべるのがめちゃめちゃ苦手で、プレゼンした経験もなく、人前に出る自信がなかった。最初の発表のときもパワーポイントのスライドを操作しただけで、しゃべったのは他の2人です。でも、その後、ポスター発表や子どもたちを対象にした科学イベントでの発表で経験を積んでから、専門学会の高校生向けの研究発表コンテストに臨みました。最初は東京など各地に連れて行ってもらえるし、ご飯も奢ってもらえてラッキーだな（笑）という感覚で科学部の活動を続けていましたが、段階的に与えられる舞台が大きくなっていったので、少しずつプレゼンの技術を身につけることができたと思います。今考えると、学会でのプレゼンより子ども向けの体験型イベントで小学生に話す方が難しかったですね（笑）。専門用語を使わずに、かみ砕いて説明しないといけないので」

科学部の顧問は、理科と国語の教師３人

コンテストに応募するレポートや発表のための原稿は、発表者本人が書き、顧問の教師たち３人が添削した。発表の練習も何度も繰り返された。顧問は、国語教師の谷口さん、理科教師の久好圭治《ひさよしけいじ》さん、江菅《えすが》純一さんの３人からなる。

谷口さんは、文法的な誤りがないか、あるいはわかりやすいかという観点で指導した。緊張すると早口になって聞きづらいから、意識してゆっくりと大きな

声で話しなさいなどと、神野さんはアドバイスを受けたという。一方、理科の久好さん、江菅さんは科学的な間違いがないかという観点から指導した。国語的には間違いないものの、科学的には怪しい表現について、しばしば国語と理科の教師同士で議論がヒートアップした。

「先生たちは日本一を『取れたらいいな』ではなく、『取るしかない』と本気でしたね。僕ら生徒も、自分たちは誰もやったことのないことをしている実感がありました。発表原稿を見てもらって、『全然ダメ』と突き返されたことも、発表がうまくいかなくて、叱られたこともありますが、『この実験で日本一を取るんだ』という目標を持っていたから、頑張れたんだと思います。先生たちに口酸っぱく言われたのは、『わからないことはわからないとちゃんと言いなさい』ということです。ポスター発表や口頭発表の質疑応答で人から質問された時、わからないと言うことは勇気が要るんですが、わかったふりをしてごまかさないように気をつけました。質疑応答で答えられなかった後、次はきちんと答えられるようにしたいと思って勉強していました」

宇宙をテーマにした実験をスタート

科学部に入って4年目、神野さんはついに宇宙をテーマにした実験をスタートさせた。それは、月や火星の重力環境を地上で再現し、様々な物理現象を調べる、というもの。

「顧問の先生が『そういえば神野、宇宙のことがやりたいって言ってたな』と思い出してくれました。宇宙をテーマに実験ができると聞いて入部したのに、ずっと磁性のことばかりやなと思っていたんですが（笑）」

月、火星の重力はそれぞれ地球の約16・7パーセント、約38パーセントしかない。よほど精密な測定器を使わない限り、地上では、どこでも重力は１Ｇで一定だ。どのように地上で重力を変えるのか。

実験に利用するのは、滑車だ。円盤（の外周の溝）に紐を引っかけ、片方の紐を引っ張って円盤を回転させて動かす器具で、代表的な使用例にエレベーターがある。

「もしエレベーターを吊り下げているケーブルを切れば、エレベーターは真っ逆さまに落下しますよね。このときもし空気抵抗も摩擦もなければ、自由落下して、エレベーターの中は無重力になりますが、滑車に吊るしたまま、エレベーターの落下速度を調節すれば、エレベーターの中の重力を残せます。この原理を利用して、月や火星の重力を再現しようとしました」

筆者が、自由落下を利用する器具として思いつくのは、フリーフォールやドロップタワーなどだ。落ちる瞬間のふわっとした感覚を楽しむ遊園地にあるアトラクションである。他に、宇宙飛行士が訓練で使う飛行機（放物線軌道を描く飛行で、重力に任せて飛び、25秒ほど無重力状態を作り出す）もテレビなどで見たことがある。だが、実験装置としての無重力・重力可変装置にはお目にかかったことがない。

実験装置としての無重力・重力可変装置にはどんなものがあるのだろうか。調べると、かつて日本では、北海道上砂川町《かみすながわちょう》に地下無重力実験センター（ＪＡＭＩＣ）が、岐阜県土岐市《ときし》の日本無重量総合研究所（ＭＧＬＡＢ）に大型の重力可変実験装置があったらしい。いずれも落下距離を稼ぐため、地下の縦穴と高い塔を組み合わせたもので、前者は490メートル、後者は100メートル、実験機器を入れたカプセルを、ダクト（気体を通す管）で空気を抜いた塔内を落下させることができた（空気抵抗による減速を防ぐため）が、それぞれ2003年、2010年に閉鎖された。設備を維持する費用がかさんだようだ。

国際宇宙ステーション（ISS）も、無重力状態で実験ができる環境として忘れてはならないが、いずれにしても無重力・重力可変装置には大がかりなシステムと、莫大な費用が必要と思われる。

理科倉庫の天井をくりぬいた実験装置

一方、春日丘高校 定時制の課程の科学部の装置は、無重力装置も、重力可変装置も「これでちゃんと実験できるの？」と心配になるほど規模が小さい。特に重力可変装置の落下塔は、理科倉庫の天井をくりぬき、自転車の車輪を固定して、ステンレスのワイヤーを巻いて作られている（**写真1**）。高さはわずか2メートル、落下時間は約0・6秒に過ぎない。

写真 1

神野さんたちが作った落下塔

「ワイヤーで落下カプセルを吊るすと、ワイヤーからの振動や、ワイヤーと滑車との間の摩擦で、うまくデータが取れません。その辺のノイズを抑える工夫を積み重ねていきました」

カプセルを落とす際の振動を極力抑えるため、電気錠（リモコン操作で電気を流し、スイッチを解除できる）を使っているという。一見、単にカプセルを下に落としているだけに見えるが、精密な実験をするための工夫が凝らされているのだ。

彼らが得つつある実験結果の一つに、火星では水の粘性が上がる、という知見がある。

実験の内容は以下の通り。

火星表面にあるような砂に水が流れ込む様子を撮影したい。そこでビーカーを二つ用意し、一つに砂を、もう一つに水を入れる。全体をカプセルに収めて、落下させるわけだが、火星の重力環境が再現されているわずか0・6秒の間に、水の入ったビーカーを傾け、砂の入ったビーカーに水を移さなければならない。どうすればよいのか。

彼らの解決方法は、ある意味単純だが、なるほどと思わせるものだ。カプセルが落下をはじめると、内部の重力は小さくなって、物体は軽くなる。その物体とカプセルの天井をバネで繋げていたとすると、落下をはじめた瞬間、バネの張力で物体は引き上げられるはずである。この原理を利用すれば、重力の変化に合わせて水の入ったビーカーを傾けることができる。こうして砂の入ったもう一つのビーカーに水が流れ込む（図2）。

図2

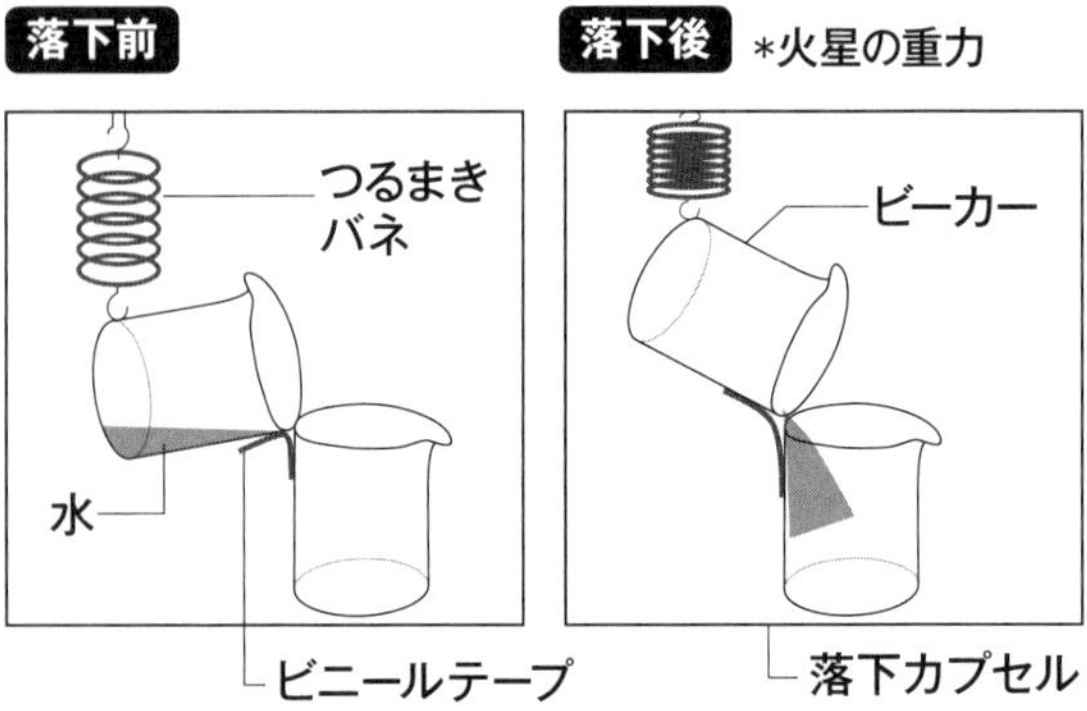

重力の変化に合わせ、ビーカーを傾け、砂の入ったビーカーに水を流れ込ませる。
参考：久好圭治、谷口真基、江菅純一「重力可変装置を用いた火星表層の水の流れ解析」

火星では水が砂にゆっくりと染みこむ

実験の結果、地球より火星の重力環境の方が、水が砂にゆっくりと染みこんでいることがわかった。さらに砂に傾斜を付けてから水を流し込むと、地球と火星では、水の振る舞いに違いがあらわれることもわかった。火星表面（を模した環境）の斜面では、水が砂の内部にほとんど染みこまず、砂を巻きこみながら、「どろり」と流れる様子が見られたのだ。重力と水の表面張力のバランスが変わり、水の粘性が高くなったのである。神野さんらは実際に地球の水の粘性率と比べて、火星を想定した実験環境での水の粘性率が何倍になるのかも調べた。

今、アメリカや中国の探査機が、火星表面を探査している。その最大の目的の一つは、液体の水を火星で見つけることだ。これまでの調査で、火星に液体の水が存在する可能性は高いと考えられているが、直接的な証拠はまだ得られていない。

神野さんらの実験結果から言えるのは、もし火星で液体の水が見つかるとしても、その水は、地球の水のようにサラサラと淀みなく流れているわけではなく、粘り気を持った姿をしているということだ。こんな知見が、苦労して火星に行かずとも、地球の、日本の、それも高校の一室で得られるというのは、すごいことではないだろうか。

衣装ケースを改造して作った実験装置

反磁性・常磁性磁化率を測定する実験でも、重力を操る実験装置が決定的な役割を果たしている。

基本的な仕掛けは、月や火星の重力環境を再現する重力可変装置と同様だ。違いは、カプセルをワイヤーで吊るすのではなく、単に自由落下させる点にある。落下中に空気抵抗を受け、落下速度が落ちてカプセル内にわずかな重力が残るが、この装置により実質的にはほぼ無重力状態を作り出せる。落下塔は、ホームセンターで入手した衣装ケースを改造して作られた。

弱い磁場を加えただけで、すぐに磁化するのが強磁性体だ。代表例の一つは鉄である。一方、反磁性体や常磁性体の場合、磁化率が小さく、小学校で使うような永久磁石を近づけても目に見える変化は起きない。そのため、これまでの磁化率の測定装置には特殊な仕掛けが必要で、その価格は、高いものだと数百万円もした。

一方、冒頭に触れたように、神野さんらの実験装置の場合、原価は約3万円に過ぎない。

なぜそんなに格安の装置ができたのか。その秘密が重力にある。反磁性体や常磁性体が永久磁石に反応しにくいのは、重力のせいで磁力の効果が見えにくくなってしまうからだ。重力をキャンセルしてやれば、話は変わる。弱い磁力しかない磁石でも、無重力環境なら、反磁性体や常磁性体から目に見える反応を引き出すことができる。神野さんらの実験では、永久磁石の中ではかなり強い磁力を持つネオジム磁石を使った。こうして神野さんらは、様々な固体粒子の磁化率を測定し、さらに液体の水の磁化率の測定にも成功した。

２０１７年10月28、29日に名古屋市立大学で開催された第14回高校化学グランドコンテストで、神野さんらは反磁性・常磁性磁化率の測定に関する研究成果について口頭発表を行い、「金賞」を受賞した（大阪府立大手前高校　定時制の課程と合同での受賞）。

それよりも嬉しかったことがあるという。

「僕のプレゼンを聞いた女子高生の1人が、うちの顧問の先生に『研究内容が面白くて、発表もわかりやすかったって、プレゼンした人に伝えてほしい』と言ってくれました。元々、磁性に興味がある研究者よりも、その分野の予備知識をそれほど持っていない人に自分の研究の面白さを届けることができて嬉し

図 3

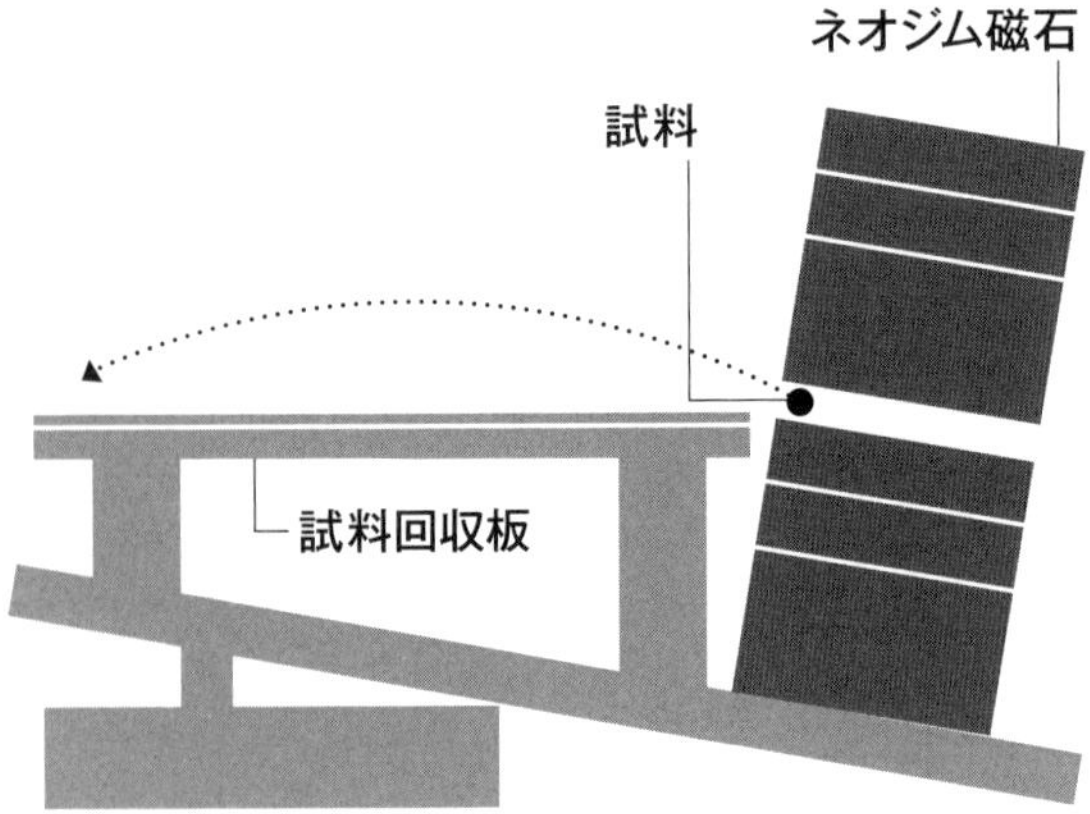

落下カプセル内に、ネオジム磁石を上にN極、下にS極が来るようにセットし(N極とS極は逆でも可)、両極のすき間に、反磁性体や常磁性体を含む試料を置いておく。この状態でカプセルを落下させると、試料はふわりと浮き上がり、試料に含まれる固体粒子がそれぞれの磁化率の違いによって磁石から異なる力を受けて、様々な軌跡を描いて飛び、カプセルの着地とともに落ちる。反磁性体で、磁化率が大きければ磁石に強く反発して飛ばされて遠くに落ち、磁化率が小さければ磁石にあまり反発せず近くに落ちる。固体粒子が落ちる辺りに、マス目を描いた板を置いておけば、固体粒子が移動した距離を効率的に測定できる。参考：大阪府立春日丘高等学校 定時制の課程 科学部、大阪府立大手前高等学校 定時制の課程 科学部、大阪府立今宮工科高等学校 定時制の課程 科学部「微小重力下で永久磁石を用いた固体粒子の分離・同定　固体版クロマトグラフィをめざして」

かったですね」

日中は大学の研究員、夜は定時制の教師

手作りの微小重力装置や重力可変装置が、ユニークな研究成果と、科学コンテストで数々の輝かしい賞を科学部にもたらした土台であるのは間違いない。どうしてそんなものが、この高校にあるのか。

「私が大学で取り組んでいる研究と関係があります」

と語るのは、大阪府立大手前高校 定時制の課程の理科教員、久好圭治さんだ。久好さんは、２０１５年まで、春日丘高校 定時制の課程で、科学部顧問を務めていた。

「元々、普通高校で理科の教員をしていましたが、１９９６年から2年間、高校を離れて鳴門教育大学の大学院に行きました。そこで同位体分析の研究をしていたんですが、卒業するとき、お世話になった先生から『研究をやめるのはもったいないから、続けなさい』と言われたんです。そこで定時制を希望して、

夕方まで大阪大学大学院理学研究科宇宙地球科学専攻の特任研究員として阪大で研究し、夜は春日丘高校で理科を教えていました」

久好さん自身も、働きながら学校に通う定時制の生徒たちの多くと同じように、二足のわらじを履いていたわけだ。

「二重生活に慣れてきた頃、生徒らに微小重力研究の話をすると、自分たちもやってみたいと興味を持ってくれたんです。教員仲間で理科の江菅さん、国語科の谷口さんにも声をかけて顧問になってもらい、2010年に科学部を立ち上げました」

初代部長を務めたのは当時担任をしていたクラスの68歳の小沢啓甫《ひろとし》さんで、10代の頃は体が弱く、高校進学を諦め、印刷会社を定年まで勤め上げた後、学び直そうと同校に入った人だったという。部員は9人で、最年少は15歳だった。

部員たちはホームセンターで買い求めた部品を組み合わせ、微小重力装置を作った。安上がりとはいえ、久好さんのそれまでの研究成果と、多様な背景を持つ生徒たちのアイデアが詰まった装置である。

はやぶさ2の技術開発にも

転機は創部から2年目に訪れた。

「2011年5月に千葉市の幕張メッセで日本地球惑星科学連合2011年大会が開かれたのですが、そこに『実験室内で使用が可能な簡易型微小重力実験装置の製作』という内容でポスター発表したところ、優秀賞をいただいたのです。その上、審査員の1人の橘省吾先生（当時は東京大学大学院地球惑星科学専攻助教で、現在は同大の宇宙惑星科学機構教授）から、『このコンセプトをはやぶさ2の技術開発に使わせてほしい』と声をかけられたんです」

「はやぶさ2」は、2014年に打ち上げられ、小惑星「リュウグウ」に着陸して砂や岩石の採取に成功し、2020年12月、地球に一旦帰還して、回収カプセルを無事に届けた後、別の小惑星に向けて航行を続けている。2011年当時は、打ち上げに向けて、搭載機器の開発が進められているところだった。

「橘先生は、リュウグウの試料を解析するチームのリーダーで、当時、採取装置（サンプラーホーン）の設計をされていました。その設計に、われわれの装置のコンセプトが使えるという話でした」

初代「はやぶさ」が世界初のサンプルリターンを成し遂げたのが2010年6月。その興奮冷めやらぬ中、世界が注目する2号機の開発に関与できると聞いて、科学部の生徒たちは奮起し、実験やプレゼンに精力的に取り組むようになったという。

「嬉しかったのは、橘先生が私たち顧問を通さず、生徒に直接『装置を使わせてください』と声をかけてくれたことです。生徒を一人前の研究者と見てくれた。そういう経験は、生徒にとって大きかったと思います」

座学よりも実験

それから春日丘高校 定時制の科学部の快進撃がはじまる。同科学部は学会や科学コンテストに次々と出場し、毎回のように何らかの賞を受賞した。

定時制に通う生徒たちには時間的な制約がある。勉強を苦手とする人も多い。

一方、科学部で取り組んでいる研究には、微小重力、反磁性などの難しい専門用語が登場する。慣れない人には近寄りがたい印象を与えそうだが、どのように生徒の興味を引き出しているのだろうか。

「科学が最初から好きだという生徒は少ないかもしれませんが、『宇宙』にはロマンを感じるという人は多いですね。科学部の活動でも、座学より、実験して、装置を改良してまた実験という具合に実践に重きを置いています」（久好さん）

普段の授業や、雑談の中で「この生徒は科学に興味があるかもしれない」と見込んだ人に声をかけたりして部員集めをしているという。

「休み時間などに生徒とよく話します。定時制は普通校より、生徒と教員の距離が近いかもしれません」（谷口さん）

科学部は目覚ましい活躍を見せているが、潤沢な予算を割り当てられているわけではない。春日丘高校の生徒会から支給される部費はわずか年1万円に過ぎず、複数の助成機関からかき集めて、研究をやりくりしているのだという。

それにもかかわらず、名門校や、スーパーサイエンスハイスクール（文部科学省から数千万円の予算を充てられる）を凌駕する成果を出しているのだ。

誰もやっていないことをやろう

何が彼らの原動力になっているのだろうか。

「私がいつも部員たちに言っているのは、『今まで誰もやっていないことをやろう』『君が世界ではじめてこの現象を見るんだよ』ということです。科学の特性だと思うんですけれども、1人の実験家として、1人の研究者として、科学の前で立場は同じなんですね。私も、彼らが実験でどんな結果を出すのか知らないし、他の研究者も知らない。しかし彼らが答えを出して、発表しに行く。発表を聞く大学の先生方は、生徒たちの肩書を見ません。定時制の生徒であるとかまったく気にしない。問われるのは、どんな研究をしてきたか、どんな実験結果が得られたかだけです。評価されれば、自分たちがやってきたことは本物だとわかります。生徒の方は先生たちの肩書を見て、驚いているかもしれませんが（笑）」（久好さん）

国語科の谷口さんは主にプレゼンの指導をしている。科学にあまり馴染みのなかった生徒たちが実験をしたり、データを分析したりするのも大変だが、人前で、しかも専門家たちを相手に話をするのも大変なはずだ。

「挫折経験を持っているからか、自分のプライベートについて話すのが苦手な生徒は多いですね。でも、プレゼンで話すのは、自分で取り組んだ実験のことで、それは自分たちしか知らない内容です。自分たちの他に誰も伝える人がいないんです。聞く人も、知りたいから聞いてくれる。だから生徒たちに伝えたいという思いが生まれるし、伝われば喜びになる。最初はみんな嫌がりますよ。でも、声の出し方の練習、人の目を見て話す練習からはじめて、プレゼン経験を積んでいくうちに上達します。卒業する頃にはプレゼンが好きになっていますね」（谷口さん）

筆者が、春日丘高校 定時制の科学部に興味を持ったのは、２０２０年11月に亡くなった物理学者の小柴昌俊氏を追悼する記事を書く準備をしていた時だ。小柴氏がノーベル物理学賞の賞金を注ぎ込んで立ち上げた平成基礎科学財団について基本的な情報を確認するためにWikipediaの同項目を読んでいた時、「財団解散に伴い最後となった『小柴昌俊科学教育賞』では、優秀賞に大阪府立春日丘高等学校の定時制課程のクラブ活動『科学部』が選ばれ、2017年(平成29年)3月20日に東大で開かれた表彰式で、小柴から賞品を手渡された」という一文を見つけた。ネットで検索すると同科学部がこれまでに得た科学コンテストなどでの賞をリストアップしたページがすぐに見つかり、ますますその活動について知りたくなって取材を申し込んだ。

小柴昌俊氏のカミオカンデとの共通点

同科学部の微小重力装置や重力可変装置は、規模は違うが、小柴氏が主導して開発され、1987年に超新星爆発により発生したニュートリノを観測して氏にノーベル賞をもたらすことになるカミオカンデに似ている。

カミオカンデは元々、比較的少ない予算でも開発できて、学生の教育に役立つような実験装置として構想された。実際、カミオカンデで経験を積み、さらに研究を発展させて、世界で活躍している物理学者は、２０１５年にノーベル物理学賞を受賞した梶田隆章氏の他にもたくさんいる。

春日丘高校 定時制の科学部の実験装置も、少ない予算で作られたものだが、ユニークで、面白い実験が可能で、生徒を育てている点で、カミオカンデと同様の役割を果たしているように思える。

「小柴賞で嬉しかったのは、先生方を評価してくれたところ」と神野さんは言う。

「長年、生徒が学会に出て評価されることはあっても、先生方の活動として評価されることはありませんでした。僕だけでなく、在籍したメンバーは皆、先生方をリスペクトしていました。僕は宇宙に興味を持っていましたが、もし谷口先生に誘われなかったら、自分から科学部に入ることはなかったと思います。誘われて入部して、科学に惹かれていきました。科学の面白さを見つけることができたのは、先生方のおかげです」

物理学はシンプル

そんな神野さんは大阪人間科学大学で、心理学を学びはじめた。２０２０年、起立性調節障害の症状の悪化で大学を1年間休学し、取材時は2回目の3年生だった。宇宙が好きで、反磁性・常磁性磁化率や、月や火星の重力環境の再現実験に取り組み、科学コンテストで優秀な成績を収めた経歴があれば、物理系の学部に進む選択肢もあったように思えるが……。

「理系に進学することを考えた時期もありますが、将来を考えたとき、研究者になりたいとか、学校の先生になりたいとは思えず、起立性調節障害の経験を活かしたかったんです。カウンセラーとか、そういう方面だなと思って、心理学を学ぶことにしました。心理学をやっているともどかしさを感じますね。物理はシンプルでいいなって（笑）」

1年生のときボランティアサークル「Lico（リコ）」を立ち上げた。

「起立性調節障害の子どもの親が集まる保護者会に顔を出したときに、子どもたちの午後の居場所がないと聞いたんです。この病気を持っている子が元気になるのは昼過ぎで、2時とか3時とかです。ところが3時を過ぎると学校は終わる。ほとんどのフリースクールも3時以降はありません。やることがないから子どもたちは家でゲームばかりしているという話でした。だったら、4時以降に過ごせる場所を作ればいいと思いつきました」

神野さん自身も、居場所のない生活を長く過ごした。

「朝がしんどいだけで、夜は動けるのに、なんでここまで追いつめられるんやと高校に入るまで思っていました。高校だと定時制や通信教育など選択肢が多いんですが、中学まではせいぜいフリースクールなんですね。でも、数が少ないので、家から遠くて通うのが大変な場合が多いんです。僕らの居場所支援活動『フキノトウの会』では、子どもたちがやりたいことをやるのを見守っています。ケータイを触っているだけの子にも『何見てんの？』と学生が話しかけるくらいで注意することはありません。それでも子どもたちに何かしら変化はあるらしく、保護者の方から、子どもがよくしゃべるようになった、1人で電車に乗れるようになったなどと聞きました」

ボランティアサークルを立ち上げたのは、科学部の経験があったからだという。

「科学部の理念の一つに、『誰もやっていないことに挑戦する』というのがありました。福祉の世界で、それを実践したいと思ったんです。起立性調節障害の子どもの居場所支援はそれまでなかったので、とにかくやってみようと。科学部での活動のおかげで、人前でしゃべることも苦ではなくなっていました。領域は違いますけど、科学部で学んだことがめちゃめちゃ活きていると思います。今は下の学年に代表を譲りましたが、サークルから部に昇格して、30人以上の後輩たちがいます」

少ない予算で、いいものを作る

春日丘高校 定時制の科学部は創部から10年以上経ち、久好さんは大手前高校 定時制へ、江菅さんは大阪府立槻《つき》の木《き》高等学校へ、谷口さんは大阪府立今宮工科高校 定時制へ異動し、科学部顧問たちはバラバラになった。しかし、それぞれの科学部は連携し、共同で実験を行っている。春日丘高校 定時制の科学部の顧問を担っているのは、科学部出身の同校卒業生で、国語教諭となった市來《いちき》裕花さんだという。

２０２０年12月にはオンライン開催された第18回高校生・高専生科学技術チャレンジで、最高賞である文部科学大臣賞に輝いた。同賞を獲得すると、「科学のオリンピック」と呼ばれる国際学生科学技術フェア（ＩＳＥＦ）への参加資格が得られる。定時制の科学部が、世界への扉を開いたのだ。

筆者は、これら3校の定時制の高校こそ、スーパーサイエンスハイスクールに選ばれるべきだと思う。神野さんは、

「お金がない分、頭を使います。ＪＡＸＡ（宇宙航空研究開発機構）だって、ＮＡＳＡ（アメリカ航空宇宙局）の10分の1の予算で、『はやぶさ』や『はやぶさ2』のミッションを成功させました。少ない予算でも、本当にいいものを作りたいという思いはＪＡＸＡも僕らも同じで、そこは他の高校と違うところかもしれませんね。お金がないから工夫してやるんです」

と言う。しかし、彼らの高校ほど、スーパーで、サイエンスの精神を体現するハイスクールは他にない。

コラム1　スーパーサイエンスハイスクールとは

本書に登場する子どもたちの多くは、文部科学省が指定するスーパーサイエンスハイスクール（SSH）の生徒たち（またはその卒業生たち）だ。SSH事業は2002年にスタートした。狙いは科学技術分野で国際的に活躍する人材を育てること。その指定を受けた高校や中高一貫校は、既存の科目に縛られずにカリキュラムを編成できる。たとえば、1年時には仮説を立て、実験や観察を通して仮説を検証するなどの科学的な方法を学んだり、地元の大学や企業を見学して、それぞれがどんな課題と向き合っているのかを聞き取ったり、あるいは学校の先輩たちの過去の課題探求を例に研究の進め方を予行演習したりする科目を、2年時からは本格的な課題探求に取りかかる科目を生徒に提供できる。

指定期間は原則5年。支援額は初年度は1200万円、2、3年目までは1000万円、4、5年目まで750万円で、期間中の成果が文科省に認められれば指定を更新することも可能だ。国公立と私立を合わせて全国約5000校ある高校のうち、2022年度の指定校数は217校だ。

指定校は割り当てられた予算を、実験器具の購入や、学外の専門家による生徒指導の経費などに充てることができる（文科省が所管する国立研究開発法人科学技術振興機構が経費等を支援する）。筆者は過去にSSH校を見学したことがあるが、遠心分離機、インキュベーター（恒温培養器）など、普通の高校の理科室にはなさそうな高度な実験装置をいくつも目にした。校内で掲示されているポスターでは、科学界の第一線で活躍する研究者たちの特別講義や講演会、国内有数の研究施設への見学会などが多数案内されていた。

大学に入る前から、大学レベルの実験装置の扱いに慣れていたり、プロの研究者と交流を深め、指導を受けたりすることは、その子が将来研究者を目指す場合、役立つに違いない。本書に登場する子を含め、取材したSSHの生徒たちはみな意欲的で、物怖じせずに専門家に意見を求める習慣、すなわち研究者に必要な資質を身につけているように感じた。

一方、ＳＳＨ事業のような教育資源の「選択と集中」に対する懸念もある。国立天文台天文情報センターの縣《あがた》秀彦氏は、「ほんの一部の高校に一校あたり3千万円を超える投資をするくらいなら、全国にある科学館や博物館を充実させたらいかがでしょうか？　ＳＳＨの隣の高校にも理科好きの生徒はいるのですから」（「集中よりも機会均等を」朝日新聞２００７年7月1日）と指摘している。

本書で紹介した春日丘高校　定時制の科学部や、その流れを汲む大阪の大手前高校、今宮工科高校の両定時制の科学部はＳＳＨの生徒たちによる自由研究に劣らないどころか勝るほどの成果を上げているにもかかわらず、ＳＳＨのように潤沢な予算を得られる状況にない。部の顧問の先生たちは研究活動の資金調達にいつも悩まされているという。

予算には限りがあるから、求められるまま与えるわけにはいかないとしても、幅広い目配りが必要だ。

第6章

国際生物学オリンピックを経て、YouTubeでゲーム実況もする研究者

YouTubeに「ゆるふわ生物学チャンネル」という名で動画リストをまとめた場所がある。「あつまれ どうぶつの森」「ピクミン3デラックス」などのビデオゲームのプレイ動画を主に配信する、いわゆるゲーム実況ものだ。2020年8月に1本目を配信して以来、着々とコンテンツを増やし、100本以上に及ぶ。チャンネル登録者数は22年3月に3万人を突破した。

数あるゲーム実況チャンネルの中で、これだけの人気を集める最大の理由は、現役の生物学研究者たちが、ゲームをプレイしながら生物学の蘊蓄《うんちく》を随所で披露してくれるところにある。

動画配信メンバーの一人、「みかみん」こと三上智之さんは東京大学大学院理学系研究科生物科学専攻に所属する博士課程の学生（2022年4月より国立科学博物館にて日本学術振興会特別研究員）だ。

なぜ「ゆるふわ生物学チャンネル」を開設したのか

「研究者がどういう人間なのか一般の方々に知ってもらう必要があると考えて、

友人たちとともにYouTubeチャンネルを立ち上げました。ゲームに登場する動物や架空の生物について、もし実在したらどんな生態だろうかと、ど真面目に考察していきます。科学者はこんな考え方をするんだということを伝えられたらいいですね」（三上さん）

20年10月20日に配信された「【FGO】第2部後期OPに4秒だけ出てくる異常巻きアンモナイトを研究者が解説してみた【前編】」を例に挙げよう。ここで取りあげられるのは「FGO（Fate/Grand Order）」。プレイヤーが歴史上の有名人物を「サーヴァント」として従え、人類史を守るために旅をするという壮大な物語のスマートフォン向けRPG（ロール・プレーイング・ゲーム）だが、ゆるふわ生物学のメンバーは物語そっちのけで、オープニング映像にわずか4秒だけ登場するニッポニテスという種類のアンモナイトについてひたすら語り合う。

講師役を務めるのが、化石マニアを自称し、大学院で古生物学を研究する三上さんだ。三上さんはオープニング映像のニッポニテスについて「すごい絵がうまい」と感じた理由を、動画内で次のように語っている。

「ニッポニテスを描いたことがある人にはわかるんですけど、かなり難しくて。人間がパッと見ると不規則に見えるけど、実は規則的だから、ちょっとでも（描き方を）間違えると、わかる人は違和感を持つ。でも、わからない人には何が違うかわからない。（略）古生物図鑑とかに載っているニッポニテスの復元図は、僕らが見ると、『これ、ありえないでしょ』みたいな気持ち悪い形をしていることが多くて、納得のいく復元図があまりない。ところがFGOのニッポニテスはかなりよく描けているので、びっくりしました」

特に評価できるのは、殻の表面に筋状に出っ張っている「肋《ろく》」が正確に描かれている点、そして軟体部（触手《しょくしゅ》などの軟らかい部分）が新しい学説に従っている点で、「このクオリティの絵は図鑑でも見たことがない」という。アンモナイトはよく似た形状のオウムガイよりも、進化の系統樹ではイカやタコと近縁であることや、世界のどこでどんなアンモナイトの化石が採れるのかを解説する一方、オープニング映像のアンモナイトには殻の巻き方や肋の傾きに実物標本との違いが微妙にあるとマイナスポイントにも言及している。

恐竜から古生物学へ

三上さんは1993年生まれで、小学校を卒業するまで広島市で過ごした。幼少時は恐竜好きだったという。

「小学校に入る前から恐竜が好きで、よく図鑑を読んでいました。東京の親戚の家に遊びに行ったときに恐竜展にも行って、その図録も何度も読みました。恐竜を好きになったきっかけは思い出せませんが、かっこいいとか強そうといった子どもらしい興味を持ったんでしょうね。小1の頃には古生物学者になりたいって言っていましたね」

恐竜やアンモナイトなどかつて地球上に生存した生物について研究するのが古生物学だが、小1にして目標を定めるのはずいぶん気が早いように思えるが――。

「恐竜少年は多いので、小学校低学年で古生物学者になりたいって子も結構いるんじゃないでしょうか。ただ、その夢が20年変わってない人は珍しいかも(笑)」

ところが、高学年になると、恐竜から別のものへと興味が移った。

「小5の頃、担任の先生から山口県にある化石がよく採れる場所を教えてもらったんです。恐竜が好きなら化石も好きだろうと思われたんでしょうね。それではじめて化石を掘りましたが、すごく楽しかったです。他にも化石産地として知られる広島県北の備北層群《びほくそうぐん》という地層も教えてもらって、そこで活動している庄原《しょうばら》化石集談会という化石研究グループにも交じらせてもらいました。広島市から庄原まで車で2時間くらいかかるので、父に時々連れて行ってもらいました。備北層群に行ったのは年に1回か2回でしたが、化石採集に熱中しましたね。化石を掘るようになってわかったのは、恐竜の化石はほとんど採れないということです」

恐竜も、恐竜以外の化石も、同じ古生物学で扱われる対象だ。その意味では、恐竜への興味は失われても古生物学への興味は持続していたわけだ。

自宅の本棚には生物学の本が並んでいた

三上さんは化石を探す作業を「宝探し」にたとえる。

「今思い返すと、当時特筆すべき化石を採っていたわけではないのですが、採集する行為が純粋に楽しかったですね。1000万年以上も昔のものが自分の手で本当に採れるんだという感動もありました。庄原化石集談会の人に採集の仕方を教えてもらったり、採った化石について教えてもらったりしました」

化石産地まで連れて行ってくれた三上さんの父親は、高校の教員で、担当は生物学。自宅の本棚には生物学の本がたくさん並んでいた。

「小学生の頃、本棚から高校の生物の資料集などを取り出してパラパラめくっていましたね。家にたまたまあったから自然に興味を持ったんだと思います。父が自分に生物の勉強をしろと言ったわけではありません。でも、地元の科学館で、広島市子ども文化科学館というところにはよく連れて行ってくれました。科学教室に参加して理科工作をしていましたね」

化石を採る他、小学校の合唱部で歌うなど、活発な日々を送っていたが、小

5、6の頃、三上さんが最も多くの時間を費やしたのは受験勉強だった。塾の講師から勧められた鹿児島市内にある難関私立の中高一貫校ラ・サール学園に入るためだ。主人公が寮で仲間と寝食を共にしながら魔法を学んでいく物語『ハリー・ポッター』シリーズを読み、寮生活をしてみたいという思いもあったという。2006年、無事に合格。広島の親元を離れ、鹿児島に移った。

憧れの寮生活がスタートしてまもなく三上さんが感じたことがあるという。それは「すごい暇」ということ。化石採集に行きたかったが、産地が近くにはなく、車で連れて行ってくれた父親とは離れてしまった。中学生一人で遠出するのも憚《はばか》られた。生物部に入ったものの、あまり活発な部活ではなく、帰宅部と化していた。

国際生物学オリンピックを目指す

小学生時代とは打って変わり、日々を無為に過ごす中、中2のあるとき父親から、高校生を対象とする生物学コンテスト「国際生物学オリンピック」の存在を教えてもらった。

「ダラダラするよりは有効に時間を使いたいと思って国際生物学オリンピックに向けて勉強をはじめました。将来、古生物学者になるときに役立つだろうという打算と、海外に行けるという魅力がありました。まだ海外に行ったことがなかったので」

国際生物学オリンピックに出場するには、まず日本生物学オリンピックの予選、本選を勝ち抜き、さらに代表選抜試験を経て、日本代表に選ばれなければならない。参加者は毎年５０００人ほどで、その中から４人が国際大会に進む。細胞生物学、生理学、生態学、遺伝学、進化学など生物学の幅広い分野から、理解力、応用力、考察力などを試す問題が出題される。筆記試験の他、生物を解剖したり、サンプルを観察したりといった実験問題も出る。求められるのは大学レベルの生物学の知識だが、難易度は大学院入試レベルと言われる。

「国際生物学オリンピックでは『キャンベル生物学』という大学生向けの教科書が推薦されています。１５００ページもありますが、各国で代表に選ばれるような人たちは全員しっかりこれを勉強しています。生物学の聖書っていう意味で、キャンバイブルって呼ばれています（笑）。僕は中2で高校生物を一通り学んで、キャンベルに取り組んだのは中3からです。丸暗記してしまおうという勢いで読んでいました」

中3ではじめて予選に参加し、日本大会には進出できたものの、日本代表候補には残ることができなかった。しかし、まったく歯が立たなかったわけではなく、高校生物レベルの知識は身についているという手応えを得られ、安堵したという。「キャンバイブル」をボロボロになるまで何度も読みこんだおかげで、翌年、再挑戦して予選、本選、そして代表選抜試験を勝ち抜いた。

「日本代表に選ばれると、国際大会に向けて各大学で実験などの指導を受ける特別教育に参加します。大学で、高校の理科室には置いていないような高度な実験器具で練習しないと、国際大会の実験問題に対応できないからです。僕の場合は、鹿児島大学、基礎生物学研究所（愛知県）、お茶の水女子大（東京）などの先生にお世話になりました」

スポーツの祭典である本家オリンピックにも通じる強化プログラムが、生物学版のオリンピックにも用意されているわけだ。

2年連続の銀メダルと一生の仲間

高2の三上さんは、2010年に国際生物学オリンピック韓国大会に参加し、見事、銀メダルを獲得した。さらに翌年の台湾大会にも出場し、2年連続で銀メダルの栄誉に輝いた（現在は規定が変わり、国際大会への出場経験者は二度参加できない）。筆記問題と実験課題で採点され、銀メダルは参加者二百数十人のうち約2割に贈られる。なお問題文はすべて各国語に翻訳されて出される。

再挑戦でも金メダルが取れずに悔しい思いをしたが、収穫もあった。それは一生の仲間ができたことだ。小学生の頃は化石採集に熱中し、古生物の名前もたくさん覚えたが、そのことに興味を持ってくれる友人は周囲にいなかった。化石採集を趣味とする人たちの集まりである庄原化石集談会にも同年代はいなかった。名門ラ・サールといえども化石仲間や、大学生レベルの生物学教科書を読みこなす同級生を見つけられなかった。

しかし、生物学オリンピックでは、自分と同レベルか、あるいはそれ以上に生物学の知識を持つ仲間がいた。国際大会まで1年かけて行われる特別教育の間、あるいは大会開催期間中は長時間、寝食を共にし、代表生徒と交流を深めた。ここで知り合った高校生たちと後にはじめたのが、冒頭に紹介したYouTubeの「ゆるふわ生物学チャンネル」である。

「三上くんは採集した化石の重さで、住んでいる部屋の床が抜けそうになると聞きました。世間からは変わり者と見られがちだけども、生物学に特別な興味を持っている彼のような逸材を見つけるのが生物学オリンピックの狙いです」

と語るのは東京理科大学教授の松田良一さん。松田さんは2018年から国際生物学オリンピック議長を務めている。

「国際生物学オリンピックは1990年にスタートしましたが、日本が加盟して代表生徒を送りはじめたのは2005年からです。2003年から国際化学オリンピック、2006年から国際物理オリンピックへの参加もはじまっています。スポーツ競技では青少年の選手たちが参加する国際大会が多くあります。科学分野でも、これら青少年向けの科学系オリンピックを活性化して、科学に秀でた若い人たちを元気づける場が必要です」

三上さんも若い人のための生物学の祭典で元気づけられた一人だった。

2012年、三上さんは東京大学教養学部理科二類に入学。14年、理学部生物情報科学科へ進学した（東大では2年生までみな教養学部で教養教育を受け、3年生から専門課程に進む）。

化石よりも進化生物学をやりたい

生物情報科学科は比較的新しい学科で、その名の通り、生物学と情報科学を融合する分野の教育や研究に取り組む学科として2007年に設立された。生物情報科学はゲノムやタンパク質などの生体物質を、情報の運び手とみなして計算機で分析し、知られざる機能の解明などを目指す分野で、バイオインフォマティクスとも呼ばれる。東大で化石の研究をする部門として知られているのは、理学部地球惑星環境学科だが、なぜ生物情報科学科に進んだのか。

「国際生物学オリンピックに出場するために生物学を本格的に勉強しはじめて化石をメインに研究したいという気持ちが薄れていったんです。化石よりも、進化生物学をやりたい気持ちが芽生えました」

進化生物学とは、その名の通り、生物の進化を扱う。進化を裏づける証拠である化石が、進化生物学に欠かせない役割を持っているのは間違いない。しかし、化石だけで進化の謎に迫るのも難しい。ダーウィンは自然選択によって進化が起こると説明したが、生物が持つ多様な形、複雑で精緻な仕組みはいかに生み出されたのか。化石の知識をむやみに蓄えるだけでは、答えることができない問いだ。

人生に一番大きな影響を与えた本

三上さんが生物進化に惹かれたのは、ある本がきっかけだという。

「(ナイルズ・)エルドリッジの『ウルトラ・ダーウィニストたちへ　古生物

学者から見た進化論』（シュプリンガー・フェアラーク東京）です。中3の頃、学校の図書館で見つけて読んで、感銘を受けました。自分が知りたいのはこれだって思いました。こんな研究をしてみたい！　って。人生に一番大きな影響を与えてくれた本です」

筆者も読んでみた。10代の頃の三上さんは感銘を受けたというが、40代後半でそれなりに読書経験は持っているつもりのおじさんには正直言って歯が立たなかった。特に前半は内容をつかみづらい。原書が刊行された1990年代当時はホットだった論争のど真ん中に投げ込まれ、追いつけないのである。

中盤を過ぎると、著者のメッセージがはっきりしてくる。要するに、それまでの定説であった「進化は単調なペースで少しずつ進む」という考えは間違いで、ほとんど変化しない時期が長く続き、あるとき短い期間で劇的に変わるというのだ。これは、進化にはほとんど変化しない平衡《へいこう》状態が断続的にあるという意味で、「断続平衡説」と言われる。著者エルドリッジは、『ワンダフル・ライフ』（邦訳は早川書房）で知られるスティーブン・ジェイ・グールドとともにこの説を1972年に論文で発表し、学会にセンセーションを巻き起こした。そのセンセーションの混乱ぶりや熱狂ぶりを『ウルトラ・ダーウィニストたちへ』はそのまま伝えているから、この経緯に明るくない人には取っつきにくく、ある程度知っている人は、随所で膝を打つのだろう。そういう類の本だと思われる。三上さんは高校レベルの生物をマスターした頃に読んだという。

化石は進化を説明する素材のひとつ

「この本は、今生きている現生生物ばかり研究している研究者が進化についてわかったと言っているけど、全然わかっていないじゃないか、化石を見たら、通説の進化生物学では説明できないことがあるよって言っている。そういう意味で、かなり攻撃的な本なんです。これを読んで、化石は進化を説明する素材の一つと考えるようになりましたね。といっても、化石に完全に興味を失ったわけではなく、化石を掘ること自体は好きで、高校時代は友だちを誘って遠方の化石産地に行ったり、化石採集の技術に役立つだろうと思って登山部に入ったりしました。登山部では霧島や屋久島の山を登りましたが、地形図の読み方を覚えることができたのは、登山部の経験のおかげです」

三上さんは中高時代に化石から生物進化へ興味を移し、大学では生物学と情報科学を融合するような学科に進学している。

「進化の謎を解明するには、いろんな種の生物を比較してデータを集め、解析する必要がある。今はそういうデータを集めやすい時代です。しかし膨大なデータを解析するときコンピュータを利用しないと二進も三進もいきません。進化を研究するには、インフォマティクス（情報科学）が欠かせないと考えて、この学科を選びました」

元々、化学反応や生体反応などを数式で表し、コンピュータ上で様々な現象を再現するシミュレーションに興味を持っていたという。高３だった２０１１年には高校生科学技術チャレンジ（現在は高校生・高専生科学技術チャレンジ）に「ＰＣＲによるＤＮＡ増幅のモデル化に関する研究」というテーマで応募し、審査委員奨励賞を受賞している。ＰＣＲはウイルスの遺伝子など特定のＤＮＡ

を大量に増やす技術だが、新型コロナウイルスの流行で、すっかりお馴染みになった。

三上さんはＰＣＲの過程をシミュレーションで再現した。

「僕は、遺伝子一つ一つの働きを細かく調べるよりも、複数の遺伝子が全体のネットワークとしてどう働いているかを知りたい。生物をシステムとして見るシステム生物学という分野に関心があります」

学部４年と大学院修士課程をかけて、三上さんは、生物の形がいかに進化したかを説明する、ある仮説を検証するための新たな統計手法の研究開発に取り組んだ。

とにかく楽しいことをやる

パソコンとにらめっこしながら統計学と格闘する中、三上さんがあらためて気づいたのが、化石の魅力だった。以来、フィールド調査で化石採集に出かける一方、博物館に保管されている化石を３Ｄスキャンして、生物の進化過程を読み解く研究に取り組んでいる。

「化石を触っていると自分は楽しめることがわかったんです。それからはとにかく楽しいことをやろうと考えるようになりました」

化石から一旦離れ、再び化石に回帰したわけだが、以前と違い、生物学に対する幅広い知識と情報科学の手法を身につけている。そこが三上さんの強みだ。

「たとえばアンモナイトに注目しています。アンモナイトって殻の形や構造がめちゃくちゃ多様で複雑なんです。どのようなメカニズムで、こんな複雑なものができるのか。シミュレーションで化石記録を再現できたら楽しいはずです。最近、エルドリッジの『ウルトラ・ダーウィニストたちへ』を読み返していますが、あらためて自分のやりたい研究はこれだと思いました。化石を見ないとわからないような長いタイムスケールで起きている進化を観察して、それを理解するのがライフワークだと思っています」

異常巻きアンモナイトの殻があれだけ複雑な巻き方をしているのも、当時の環境に適応した形が残ったからだと考えられている。いくら奇妙な形でも一つの殻で繋がっている異常巻きアンモナイトのように、三上さんが進む研究者への道は曲がりくねりながらも、途切れたり分かれたりすることなく続いている。

第7章

高校時代に麹菌を研究し、東大理学部からコンサルタントに転じた会社員

川崎市に住む山本実侑《みゆ》さんは、2020年、東京大学を卒業し、野村総合研究所（以下、NRI）に入社した。オンラインで実施された新入社員研修などを経て、22年度から産学連携やイノベーション政策を支援する部署に配属された。

NRIは、民間企業や官公庁に調査・コンサルティングや、ソリューションの提供を行う。同社の他、近年、コンサルティングは人気の職種で、東大生の就職先としては決して珍しくない。しかし、山本さんのような理学部出身者、それも地球惑星環境学科で深海の微生物を研究していた経験を持つ経営コンサルタントは異色の存在と言っていい。

東大理学部の学生の9割程度は大学院に進学し、その約3割は博士課程まで進んで将来、大学や民間企業で研究者になる。特に山本さんは、高校時代から独自の研究に取り組み、その成果が日本有数の科学研究コンテストで高い評価を得た上、東大でも二つの研究室で、微生物を研究してきた。それなのに、なぜ、一見、科学研究とは最も遠そうなビジネスの世界に足を踏み入れたのか。

なぜ麴菌は輪を描くのか

それについては後で述べることにして、まずは山本さんの高校時代の研究を紹介しよう。その研究対象は、麴菌だ。

麴菌は、醬油、味噌、日本酒など、和食の基本調味料を作るのに欠かせない微生物だ。蒸した米や豆などに、その胞子がつくと、胞子から糸状の菌糸が伸び、枝分かれを繰り返す。菌糸の先には、新たに胞子が無数に作られ、別の米粒や豆に飛び移って、さらに菌糸を伸ばす。それとともに酵素の働きで、米や豆の成分を分解する。

そうしてデンプンからブドウ糖が、タンパク質からアミノ酸が作られる。ブドウ糖は甘味、アミノ酸の一部は旨味の元だ。これがいわゆる発酵である。筆者は、塩麴を冷蔵庫に常備し、下ごしらえのために鶏肉や豚肉に振りかける。しばらく寝かせると、発酵が進み、まるで魔法のように安物の肉がおいしくなる。人間を喜ばせるために存在するのかと思えるほど、麴菌は不思議な生き物だ（もちろん麴菌は単に、生き残るために周囲の環境から栄養を得ているに過ぎない)。

麹菌は温暖湿潤な気候風土を好む。そんな土地に米を蒸して食べる文化を持つ人々が暮らしていた。もし麹菌に感情があれば、縄文人や弥生人が、蒸し米を茶碗の底に放置しているのを見つけて狂喜したに違いない。蒸し米は、豊富な栄養分と、麹菌にとってちょうどいい量の水分を提供してくれるからだ。

日本人は古来、その実態を知らないまま、麹菌を利用してきた。室町時代には、麹菌の成育に木灰《きばい》を利用して、有害なバクテリアなどの繁殖を抑えつつ、「友種法」(たまたま出来のよかった麹を残して次の種として利用する方法)で優良なものを選別し、その胞子を全国の酒造家に販売する専門業者が登場した。当時、微生物そのものを商品として扱う業態は世界にもほとんど例がなく、最古のバイオビジネスと言われる。麹の胞子は、そこから芽が出るように見える姿から「萌える」「萌やす」と訛《なま》って「もやし」とも言い、もやしを売る業者は「もやし屋」と呼ばれた。

麹菌を対象とする研究が本格的にはじまったのは明治期だが、シャーレで培

写真２

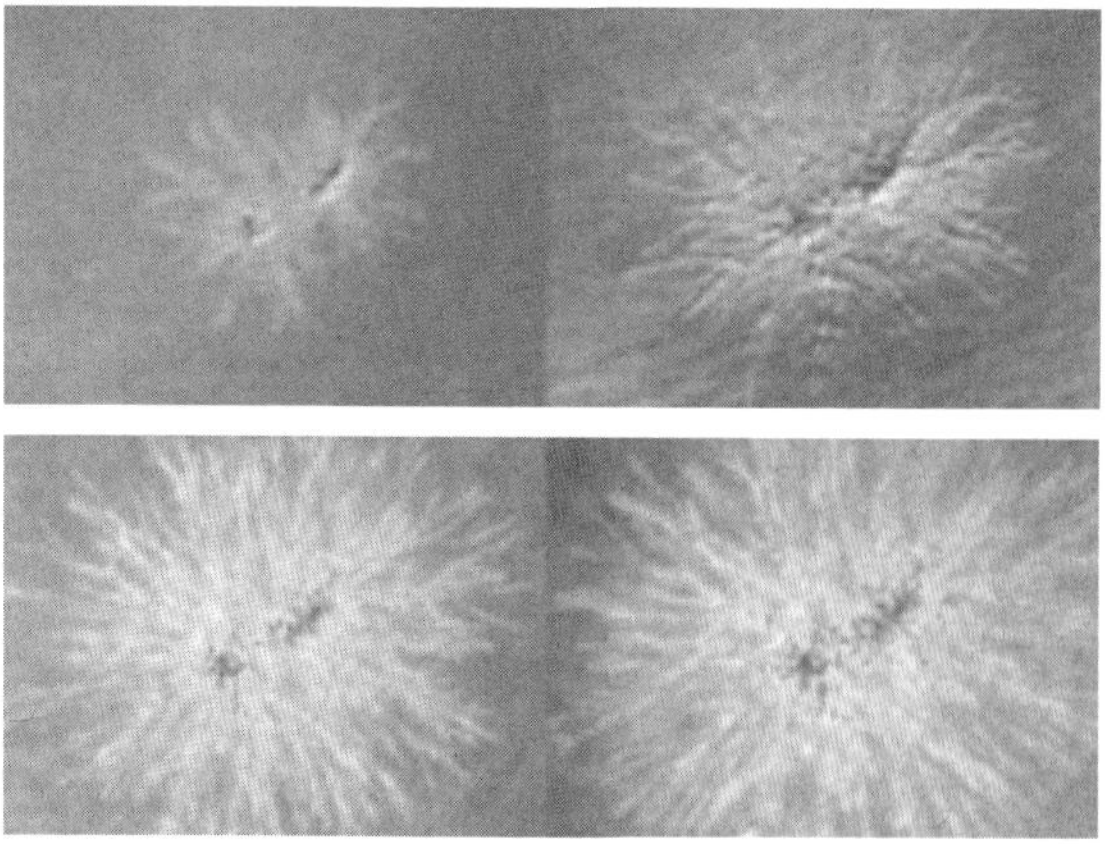

左上→右上→左下→右下と、麹菌が円形に広がっていく様子。
山本実侑「わ和輪～培地における麹菌のコロニー形成～」より

養すると、不思議な広がり方をすることが、研究者の間で知られていた。培養を開始するときの胞子が１個でも、２個でも、３個でも、何日か経つと、菌糸の作る輪郭が、きれいな円形に近づいていくのだ（**写真２**）。

麹菌の胞子１個からスタートすれば、菌糸が四方八方に均等に伸びて、円形に広がるのはおかしくない。しかし、複数の胞子からスタートしても、最終的にひとつの円形のパターンを作るのだ。

さらに、その円は、中心を共有して大きさの違う輪を作ることがある。

年輪のような濃淡の異なる同心円の模様が現れるのだ。

「それがどうした？」と訝る人もいるかもしれない。麹菌を培養したときにコロニー（菌の集団）がどんな模様を作ろうが、醸造家が喜ぶ質のいい麹を繁殖できるわけではないだろう、と。しかし、7年前、山本さんは、その謎解きに挑んだ。

「なんで？」と思う点を書き出した

山本さんは、当時の人気漫画「もやしもん」（石川雅之著・講談社）を読み、麹菌に親しみを持っていた。もやし屋の息子で、肉眼で菌を見たり捕まえたりできる特殊能力を持つ大学生が主人公の漫画で、2007年と2012年にアニメ化もされた。

高校2年生だった2014年、先輩が培養する麹菌のシャーレをたまたま見かけて、「どうしてこんな形のコロニーができるんだろう」と疑問を持ったという。文献を調べても、麹菌のコロニーが円形に広がり、同心円状の輪の模様を作る原理を解明した先行研究は見当たらなかった。

山本さんが通っていた横浜市立横浜サイエンスフロンティア高等学校（以下、ＹＳＦＨ）は、その名称からも察することができるように、科学がカリキュラムの中心に据えられている。生徒は1年次に科学的なものの見方や探究活動の基礎を学び、2年次から課題研究に取り組む。山本さんは麴菌を培養したときに形成されるコロニーの模様の謎の解明を課題研究のテーマに選んだ。

どう研究を進めたのか。

「最初は『なんで？』と思う点を書き出し、先生のアドバイスをいただきながら、疑問点を確かめるためにどんな実験をすればよいかを決めました。実験の各作業にどのくらいの時間が必要か見積もって、たとえば自分が学校にいるときに培養を終わらせるようにするなど調整して、スケジュール帳に書き込み、実験開始です」

麹菌はなぜ円形に広がるのか

最初の疑問、「麹菌はなぜ円形に広がるのか」については次のように調べた。

あらかじめ養分の寒天培地を敷き詰めたシャーレの中心部分に、麹菌の胞子を撒く。といっても、手作業で1個、2個などと狙い通りの個数を撒くのは至難の業だ。そこで、胞子を含む液体をピペット（少量の液体を瓶などから吸い取り、別の場所に移す実験器具）で複数のシャーレに1滴ずつ落とし、顕微鏡（位相差顕微鏡）で、胞子の個数を確認し、1個、2個、もしくは3個の胞子が撒かれたシャーレを選び、インキュベータ（温度を一定に保ち、主に微生物の培養に使われる実験機器）に入れる。

ある程度、麹菌の成長が進んだところで一定の間隔ごとにインキュベータからシャーレを取り出し、顕微鏡で観察した結果、興味深いことがわかった。

「胞子1個からスタートした麹菌が円形に広がるのは予想通りで、不思議ではありません。しかし2個からスタートしても円形に広がる。観察すると、一方の胞子から伸びた菌糸と、もう片方の胞子から伸びた菌糸がぶつかる境界部分では、菌糸が他の部分よりも速く伸びているように見えました。しかもお互いの菌糸が避け合うように伸びる方向を変えていたんです」

麹菌はなぜ同心円状の輪を作るのか

もうひとつの疑問、麹菌のコロニーが同心円状の輪を形成する仕組みはどうか。実験すると、温度や光の条件次第で、コロニーに輪ができることがわかった。温度や光の条件に変化がなければコロニーは一様に円形に広がり輪は形成されず、変化があれば、輪ができたのだ。しかも変化の度合いが大きいほど、つまり温度差あるいは光の明暗の差が大きいほど、輪はくっきりと見えた。

山本さんは、同心円状のパターンがどのように作られるかを詳しく調べるため、様々な温度の上げ下げのサイクル、様々な光の明暗のサイクルで麹菌を培養し、10分ごとに一眼レフカメラで撮影した。わざわざ10分ごとにシャッターボタンを手で押すのは面倒なので、カメラに詳しい同級生の力も借りて、自動撮影システムを組んだ。

写真3

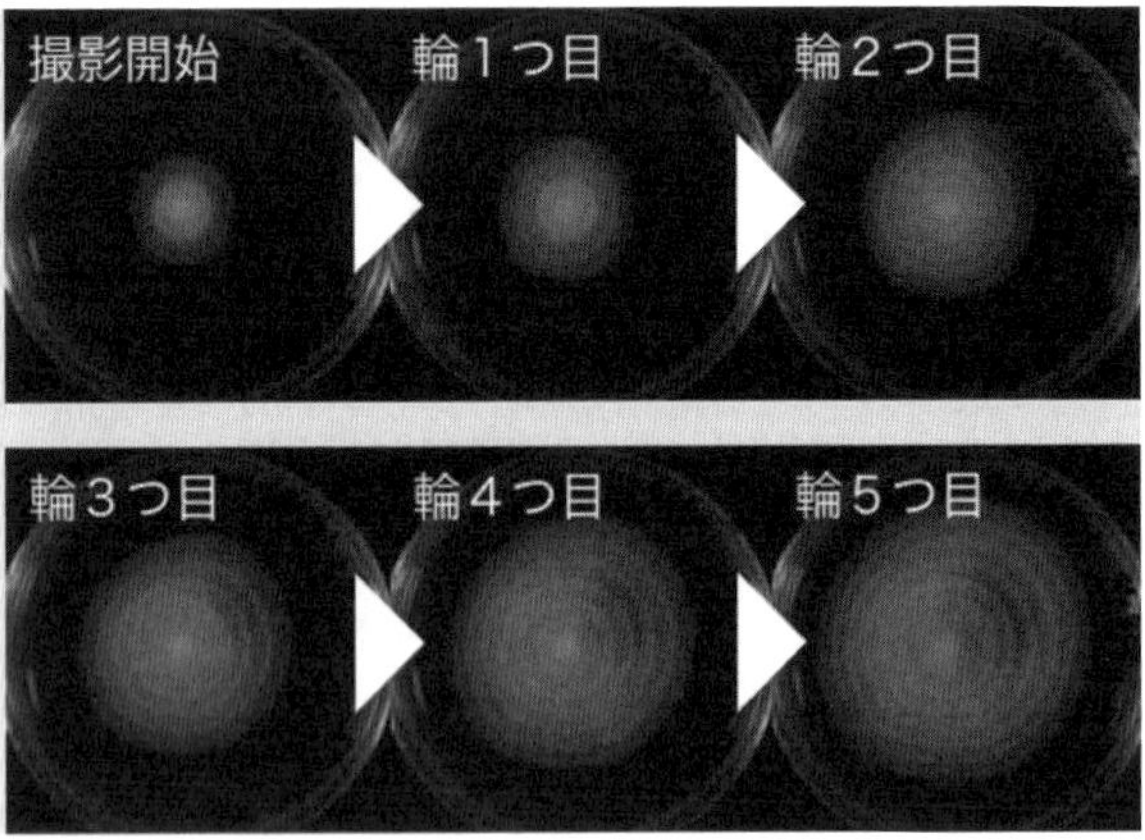

麹菌が同心円状に広がっていく様子。山本さん提供。

実験の結果、温度変化、光の明暗の変化に合わせて、麹菌の成長速度も速くなったり、遅くなったりすることがわかった。麹菌には成長しやすい温度の範囲、明るさの範囲がある。温度、光の環境がその範囲内であれば、コロニーが広がるスピードは速く、そこから外れるとスピードが鈍る。コロニーの成長速度が速いとその部分は薄く、遅いとその部分は濃くなる。こうしてコロニーが円形に広がりつつ濃い部分と薄い部分が交互に現れるパターン、つまり同心円状のパターンが作られていたのだった（**写真3**）。

山本さんは、この研究成果をレポート「わ和輪～培地における麹菌のコロニー形成～」にまとめた。驚きの「わ！」、和食の「和」、麹菌のコロニーの形を表す「輪」を組み合わせた、しゃれっけのあるタイトルだ。

麹菌が世界に進出!?

レポートでは、東京大学農学部微生物学研究室との共同研究の成果として、麹菌のある遺伝子が、光の明暗を検知し、輪の形成に関与することも突き止めたと報告されている。共同研究は、山本さんが高校2年の終わりに、日本農芸化学会が主催するジュニア農芸化学会で麹菌の研究について発表し、参加していた同大学の研究者から「共同研究しませんか」と呼びかけられて始まった。

高校3年に進級した山本さんは、春休みや夏休みなど、高校の長期休暇を利用して、東大農学部のある弥生キャンパスに足を運び、研究者の指導を受けながら、遺伝子実験に取り組んだ。

「気候風土の関係で日本のみで生息し利用されてきた麹菌を環境のコントロー

ルにより世界各地で成育可能とさせ、麹を利用した日本の食品の魅力を世界に発信することができるかもしれない」と山本さんはレポートで自身の研究の応用の可能性を記している。

土地それぞれの環境に合わせ、温度や光などを調整し、麹菌の成長を自在にコントロールできるなら、麹菌を世界に普及できる。コロナ禍での内食需要の高まりや、感染症に打ち勝つ体を作ることに役立つという期待から、これまで強烈な臭いが嫌われて敬遠されてきた納豆、味噌、醤油など発酵食品に対して世界的に注目が集まっている。「どうしてこんな形のコロニーができるんだろう」という高校生の素朴な疑問からスタートした研究が、もやし屋が本格的に世界進出するきっかけになるかもしれない。

研究と受験を両立させる

さて、山本さんの母親の豊子さんは、高校3年に進級しても研究を続ける娘を少し心配していたという。理由は大学受験だ。

「受験勉強には手を付けず、研究に没頭していたので、志望校についてはは悩んでいました」

そんなとき二つの幸運が重なったおかげで、前途に光明が差した。ひとつは、麹菌研究の成果が、2015年8月開催の「第5回高校生バイオサミット in 鶴岡」で文部科学大臣賞に輝いたこと。もうひとつは、同年から東京大学で推薦入試の募集が始まったことだ。高校生を対象とする生命科学コンテストで、最高賞のひとつに選ばれたことで、高校在学中の研究活動の実績が評価項目に含まれる東大推薦入試での合格が視野に入ってきたのだ。

12月には科学技術の自由研究コンテスト「第13回高校生科学技術チャレンジ」でも科学技術振興機構賞を受賞。翌年3月には、（ジュニアではない）日本農芸化学会2016年度大会で、東大農学部微生物学研究室との共同研究の成果を現役高校生としてははじめて発表するとともに、東大合格も果たした。研究と受験を両立させたわけだ。

東大の場合、他の多くの大学と異なり、一般入試で入学した学生を大ざっぱに分類する。一般入試の受験生が専門学部に振り分けられるのは、3年次からの後期課程だ。一方、推薦入試で入学する学生の場合、後期課程での進学先があらかじめ決まっている。

山本さんが選んだのは、理学部だった。共同研究で関係のある農学部を選ばなかったのは、生命の起源に迫るような研究をしたかったからだという。

リュックを開けるとダンゴムシがぎっしり

研究者になるという目標を定めたのは、小学校5年のとき。きっかけは、夏休みに、横須賀の国立研究開発法人海洋研究開発機構（JAMSTEC：ジャムステック）に見学に訪れたことだった。JAMSTECの夏休み親子見学ツアーイベントに申し込み、参加したのだ。

山本さんは、深海に棲む、陸上生物とはかけ離れた特徴を持つ様々な生物だけでなく、テクノロジーを駆使して、その生態を探り、生命進化の謎に挑む研究者たちの姿にも魅了された。そしてその感動を伝えるポスターを、夏休みの活動記録として作った。

自分もいつかJAMSTECで研究をして、生命の起源を解明したい――。それが山本さんの夢になった。

母親の豊子さんによれば、山本さんは小さい頃から生物に強い興味を示していたという。

「幼稚園に通っていたある日、スカートのポケットからダンゴムシを出して『飼いたい』と言ってきたんです。リュックを開けるとダンゴムシがギッシリ詰まっていて、ギョッとしました。そのときはなだめた上で、ダメだと却下したんですが、後で、子どもの好奇心の芽をつぶしてはいけなかったと反省したんです。それからは家で、生き物を飼いたいと言ってきても拒否しませんでした。アゲハチョウ、バッタ、カマキリ、魚、カエル、カナヘビ、ハムスターなどいろんな生き物を飼っていましたね。小学校3、4年の頃、そうした昆虫の観察日記が市の自由研究コンクールで賞を取ったこともあります。それをきっかけにさらに生き物に興味を持つようになっていったようです」

いろいろな経験をさせたかった

山本さんのご両親とも理系ではないが、幼い我が子を科学館にしばしば連れて行ったという。

「お台場の日本科学未来館（江東区）や、北の丸公園の科学技術館（千代田区）には、それぞれの年間パスポートを購入して、展示を見学に行ったり、実験を体験させてくれるイベントに参加したりしていました。子どもは興味を持っていなくても、自分にとって面白そうな美術館やコンサートにもよく連れて行きましたね。科学者にしたいからというより、いろんな経験をさせたかったんです。理科実験を体験させてくれる『サイエンス倶楽部』（関東圏に展開する科学実験教室）にも何度か参加させました」

小5のＪＡＭＳＴＥＣ体験で深海生物へと興味の幅を広げ、将来の夢を研究者に定めた頃、たまたま豊子さんは、科学教育に力を入れている学校が近くにあることをテレビで知った。それが２００９年に横浜市鶴見区に設立された前述のＹＳＦＨである。

筆者は以前、ＹＳＦＨを見学したことがある。普通の高校なら単に「実験室」があるくらいだが、同校には、「環境生命実験室」「ナノ材料創製室」「物理実験室」と細かく分かれており、まるで大学や企業の研究機関のような専用室を備える校舎に驚かされた。

「それまで中学受験させることも考えていましたが、やめました。この高校に娘を入れたいと思ったからです。娘は地元の公立の中学校に通いながら、毎年、（ＹＳＦＨの）学校説明会に足を運びました（筆者注：同校には現在附属中学校があるが、その設立は２０１７年で、山本さんが中学生になる頃には存在しなかった）」

幼い頃からの生物の飼育、科学館や科学教室での実験経験の積み重ねがあったから、高校生ながら、麹菌を使った高度な研究ができたのかもしれない。

農学部と理学部を行き来した

そして山本さんは東大に入り、さらに研究者への道を歩みはじめた。１年次には通常の前期課程の講義を受けながら、農学部の微生物学研究室にも通い、麹菌の研究を継続。高校時代の研究では解明しきれなかった、菌糸が環境変化に合わせて伸びるスピードを変える仕組みの謎に挑んだ。2年からは理学部地球惑星環境学科の研究室にも出入りし、地下の微生物を対象とする実験に取り組んだ。

3年で同科に正式に進学しても、農学部と理学部を行き来した。日本の大学生で、あるいは大学院生でも、山本さんのように二つの研究室で同時に研究を進める学生・研究者は珍しい存在だ。だが、複数の研究室に所属し、様々な実験手法を身につけたり、視野を広げたりすることは、新たな研究テーマを作り出す力になるのは間違いない。

「農学部で扱っていた麹菌も、理学部で扱っていた超好熱古細菌（80度以上の熱水環境に生息する古細菌）も、どちらも微生物という点では同じですが、たとえば農学部では産業への応用が主な研究の目的です。一方、理学部では自然の真理を追究することが研究の目的です。麹菌は家畜化された微生物と言われるくらい、培養方法が確立していますが、深海の微生物の場合は、環境中のサンプルからどのような種類の微生物が検出されるかもわからず、様々な培地・温度の条件で培養を試みるところから研究がスタートします。培養に成功した微生物が生きているのか死んでいるのか判別する方法も、自分で開発しなければならないんです。研究に対する基本的な考え方も、実験手法も違う二つの分野を学べたのは、いい経験になりました。両方の視点を活かして、麴菌がどういうふうに進化してきたのか知りたいですし、古細菌に何か人間に役立つ機能がないのか調べたいですね」

ついに憧れの深海へ

4年の夏休みには、JAMSTECの「しんかい6500」への乗船を果たした。「しんかい6500」は、深度6500メートルの、まさに深海まで潜る有人潜水調査船だ。巨大地震を引き起こすプレートの沈み込み部分や、海底の熱水噴出孔を調べることができ、有人でそこまで深く潜れる船は日本では他になく、世界でも数隻しかない。山本さんにとっては、小5のJAMSTEC見学以来、憧れの的だった。

ベテランの海洋生物研究者でもない大学生が、なぜ「しんかい6500」に乗り込めたのか。それは、2019年にJAMSTECによりはじめて実施された「『深海研究のガチンコファイト』を体感せよ！」なる企画に山本さんが参加を申し込み、応募総数224人中、深海潜水調査船支援母船「よこすか」乗船組の7人に選ばれ、さらに「しんかい6500」で潜水する3人のうちの1人に選ばれたからである。

海底の熱水噴出孔は、地球上で生命が誕生した現場の候補のひとつと考えられている。極端に高温の環境で生まれた生命は、その後、温度の低い環境へ進出し、分散していった、すなわち生息域を広げていったはずだ（そうでないと今日のように生物が地球上にあまねく生息している事実を説明できない）。だから超好熱古細菌の分散戦略は、生命進化の核心である。

あえて大学院には進まず、就職することに

念願の「しんかい６５００」での潜航を果たし、研究者になるという夢にぐっと近づいた。しかし、すでに述べているように、山本さんは大学を卒業後、ＮＲＩに就職する。

なぜ進路を変えたのか。

「日本の研究者が待遇面で恵まれていなかったり、民間との協力が進んでいなかったりする状況を目の当たりにしたのが一番の理由です。今の仕事なら、産官学連携の推進や、基礎研究を支援する政策作りに携わることができる可能性もあります」

だが、研究者への夢を諦めたわけではないという。

「経験を積んで、社会人としての考え方を、将来、研究の世界に持ち込めたらという思いもあります」

それにしても大胆な選択だ。大学の指導教員らに引き止められたのではないだろうか。

「実は就活をしていると話したときにはかなり驚かれた様子でした。一旦就職して、将来的に研究者になることも考えているとも伝えましたが、『学部卒で研究をやめて、後で（大学院の）修士課程から研究の道に戻った人の例を知らない。なかなかハードルが高いと思うよ』と言われました。でも、吸収力がある若いうちにいろんな経験をしたかったので、あえて大学院には進まず、学部卒で就職して、自分の適性を見極めた方がよいと考えました」

一般の大学生は、大学院に入ってから本格的に研究をはじめる。ところが、山本さんの場合は、高校時代に大学の研究室と共同研究を進め、大学でも二つの研究室で研究に取り組んだ。学部で大学院での研究を先取りして経験したとも言える。

「高校生の頃から研究をしていたので、たしかにアドバンテージはあったと感じています。他の大学生が院試を受ける頃には、研究がどんなものかイメージを自分なりに持つことができていたので、冷静に考えることができました」

山本さんの選択を聞き、豊子さんは母親として、ホッとしたところもあったという。

「研究に没頭しているときは、土日返上で、徹夜もしていたので、体調面でも大丈夫かなと心配していました。小さい頃から研究者になるのが夢で、その夢に向かって突っ走ってきたので、就職したいと聞いて驚いたのはたしかです。でも、これまで親として子どもの夢を応援して寄り添ってきただけで、研究者にさせたいと思ったことはないんです」

実は前出の「『深海研究のガチンコファイト』を体感せよ！」企画に参加したとき、山本さんはすでにNRIの内定を得ていた。それを偽って応募したわけではない。山本さん自身のその時点での率直な思いを訴え、それが評価されて、「しんかい6500」乗船の切符を勝ち取ったのだ。

「最前線海洋研究の『実践』を通じた若手人材育成プロジェクト」によれば、「ガチンコファイト」企画は、「船上研究現場の体験を通じた海洋科学リテラシーの飛躍的な向上、海洋科学技術に関わる次世代の人材育成、および未来の海洋科学技術の研究開発を支えるポテンシャルを持った才能の覚醒《かくせい》」を目的としたものだという。山本さんの場合は、特に「未来の海洋科学技術の研究開発を支えるポテンシャル」を評価されたのだろう。

同企画の責任者で、ＪＡＭＳＴＥＣ超先鋭研究開発部門 部門長の高井研氏は、山本さんについて、上記サイトで、次のように記している。

「私の最終目標は研究者になることである。しかも単なる研究者ではない、世界を代表するＪＡＭＳＴＥＣの研究者になることである」

そうはっきりと宣言する彼女に期待をするなと言う方が無理であろう。ＪＡＭＳＴＥＣが触発し、ＪＡＭＳＴＥＣが成長を促し、ＪＡＭＳＴＥＣがチャンスを与え、成長した彼女が将来本当にＪＡＭＳＴＥＣに採用され、世界のスターになったとしたら、それはＪＡＭＳＴＥＣが真の意味で育てたスターでありＪＡＭＳＴＥＣの未来を照らす星となろう。

たとえそううまくいかなかったとしても、彼女が何者かになったとき、ＪＡＭＳＴＥＣが人生に大きな影響を及ぼした希有な例となることを期待してやまない。

企画自体が、優秀な若手の青田買いではなく、長い目で若者の成長を促すものだったわけだ。

山本さんは「しんかい６５００」から帰還し、母船の実験室で一人作業していたとき、自分はやっぱり深海が好きなんだと、就職を決めたことを一瞬後悔して、思わず涙を流した。しかし、「いや、必ず社会人として日本の科学研究界に貢献する」と決意を新たにした。

「このまま外に出ず、大学院に進学して研究者の道へ進むより、一度社会に出てみた方が、幅広い知識と多様なスキルを身につけられる点で、自分を鍛えることができると思います。社会人として必要なスキル、たとえば人に伝える力、社会的な課題を洞察する力などは、最終的に研究者になるとしても役立つはずです」

少なくとも一時的には研究者への道から離脱するが、これまで身につけてきた技術、考え方が無駄になるわけではないという。

「対象をしっかり調査して、事実を確認した上で、課題を見つけ、解決策を考えるのがコンサルタントの仕事です。実験結果を元に何が言えるかを考察して、結論を導き出すという研究の経験が活かされると思います」

筆者は最初、山本さんが研究者の道から外れて就職を選んだと聞いて、率直に言えば、もったいないと思った。彼女のような才能を活かす環境が日本にないのは残念だとも思った。しかし、山本さんは自ら環境を変えようとしているのだ。麴菌が、別の菌糸と出合い、温度変化、明暗変化を感じるなどして成長速度を自ら変えるように。あるいは熱水噴出孔から新天地へ分散を始めた太古の生命のように。

第8章

蚊に刺されやすい妹のために蚊を研究し、コロンビア大に進学した大学院生

米コロンビア大学に通う田上大喜《たがみだいき》さんは、コロナ禍の２０２０年4月に帰国。京都市の自宅からオンラインで講義を受けはじめた。

「授業は、日本時間の夜11時頃から深夜3時頃まで続きます。その後少し休んで、朝7時から昼頃まであります。午後2時から6時頃まで寝ますが、それだけでは睡眠が足りないので、夜中に仮眠を取っています」

かなりハードな生活に思えるが――。

「でも、アメリカでは自分で料理を作ったり洗濯をしたりしないといけませんが、今は親がやってくれるので、その分、楽です」

日本の大学は一般に、入学時に学生を法学部、文学部、工学部、医学部など専門学部に分けて受け入れる。一方、多くのアメリカの大学には、そういった入学時の区分が設けられておらず、学生はライティング、第二外国語、数学、生物学などの基礎を必修科目として受講しつつ、大学が用意するバラエティに富む講義から自分の興味関心に沿って受講する。専門課程が始まるのは3年からだ。さらに専攻を絞って学びたい人は、ロースクール（法学）、メディカルスクール（医学）、ビジネススクール（経営学）などの専門大学院へ進む。

３年生（２０２１年時点）の田上さんは、主専攻として数学科、統計学科に所属し、メディカルスクールへの準備段階となる医学部予科生として学んでいる。

大学入学当初から数学科目で優秀な成績を収めたおかげで、１年では微分積分、２年ではそれに加えて線形代数、常微分方程式などの科目でティーチングアシスタント（ＴＡ）を受け持っているという。ＴＡは講師の講義を手伝ったり、受講生の質問に答えたりする助手のことで、一般には大学院生が担う役割だ。

プログラミングの講義も担当

３年に進学してからは、自ら講師として、学生にプログラミング言語のPython（パイソン）を教えている。高校卒業時点ではプログラミング言語の知識はゼロだったが、大学に入ってから本を読んで勉強したという。

「4単位の科目で、3単位は教授1人、1単位を僕が受け持っています。下は1年生から上は大学院生まで受講しています。定期的に教授と打合せをして講義の内容を決めますが、受講生に出す課題を自分で作って採点もしなければならないのが大変ですね。毎週1コマ（90分）の準備に10時間くらいかかります」

コロンビア大学のオンライン講義システムを使った田上さんの講義風景を見せてもらうと、画面に「Covid-19」の単語が見える。新型コロナウイルスを題材にした講義らしい。

「アメリカでの新型コロナ感染症による死亡者のデータを、人種別、あるいは肥満度別に統計的に分析して、視覚化するためのプログラムを講義しているところです。今、みなさんコロナに興味を持っているので、そのデータ分析を主なテーマとして取りあげています」

コロンビア大学に付属するザッカーマン研究所では二つの研究室にも所属する。一つでは神経幹細胞を使った脳の発生の研究を、もう一つではＡＩを使ってマウスの行動を分析する技術開発を行っているという。

２０２０年夏（2年生の夏）には、米ブラウン大学との共同研究も実施した。同大学が公開している古代遺跡のデータベースを使って、遺跡の形状や素材などの情報を入力すると、その年代が出力されるようなプログラムを作ったという。

「イギリスのレイドロー財団が、世界14の大学の学生を対象に研究費として奨学金を給付しているのですが、ありがたいことに支給対象に選ばれました。１年生のとき、その奨学生が集まる交流会で、ある学生から、君の持っている技術は、古代遺跡の年代推定に使えるかもしれないと言われて、そうかもしれないと思ったんです。ブラウン大学の考古学の教授にメンターになってほしいとお願いして受け入れてもらいました。前の夏（２０２０年の夏）はブラウン大でプログラマーとして働きました」

２つのボランティア

勉学、研究に励む一方、ボランティアにも精を出した。

「1年のとき、ニューヨークにある大学病院でボランティアをしました。入院患者さんのコップに水を入れたり、枕やシーツを替えたり、お話を聞いたりするんです。他には家庭教師のボランティアもしました。ハーレム街の小学4年生の男の子に大学の教室や多目的室で教えていました。お母さんはシングルマザーで、仕事で忙しそうでしたが、頑張って子どもを連れてきていました。男の子は分数の計算に苦しんでいたので、割り算と分数の関係とか約分の仕方を集中的に教えましたね。鉛筆を何本も用意して、実演して、2分の4と、4分の8は、分子と分母の数は違うけど、分数としては一緒だよとか。整数で分子と分母を割りきれる分数からはじめて、分数に慣れていってもらいました」

勉強ができない人の気持ちがわからず、なぜわからないかがわからないと突き放す「秀才」もいる。しかし田上さんは、相手がなぜわからないかを考え、理解するにはどうすればよいか工夫する心構えがある。

「ザッカーマン研究所のラボでは周囲の大学院生やポスドクの人たちに教えてもらっています。また大学院の講義も受講していますが、基礎知識が足りないので、困ることが多いんです。でも、週に2時間くらい設けられているオフィスアワーに研究室を訪ねると、教授やTAの方たちが、どんな質問にも丁寧に答えてくださる。それが嬉しくて、いつも感謝しているんです。だから僕が理解している分野については、還元したいって思っています」

学生として講義を受けると同時に講師役を務め、その傍ら、二つの研究室に所属して最先端の研究に参加し、別の大学でプログラマーとしても勤務、さらにボランティア活動も……。

田上さんは本当に一人の人間なのか。彼の話を聞きながら、私は軽いめまいを感じていた。

妹が不憫で蚊の研究を始める

私が田上さんを取材するのは5年ぶり2回目だった。最初に会ったのは2015年で、彼が高校1年生のときである。当時、彼が取り組んでいた研究について話を聞き、週刊誌に記事を書くためだった（「スーパー・サイエンス・ハイスクール」の実態「週刊新潮」２０１５年12月24日号)。

その研究とは「一生に一度しか交尾をしないヒトスジシマカの雌に2時間で10回以上交尾行動を起こさせるには」。

ヒトスジシマカとは、いわゆるヤブ蚊である。私はそれまでヤブ蚊が一生に一度しか交尾をしないと言われていることすら知らなかったが、田上さんの研究によれば、足のニオイを嗅がせることで10回以上に増やせるというのである。足のニオイが蚊にとって媚薬《びやく》の役割を果たしているわけだ。

田上さんは2歳下の妹、千笑《ちえ》さんが自分よりも蚊に刺されやすく、しかも刺された跡が腫れ上がることを昔から不憫に感じていた。これを何とかしたいというのが中学3年生のときに研究をスタートさせた動機の一つだ。

靴底のニオイで、蚊が一斉に交尾を始めた

研究を始めてまもなく、田上さんは大きな発見をする。

「まず蚊が好きなニオイを出すものと嫌いなニオイを出すものを探そうとして

シャンプー、肉、リンスなど家中のニオイがあるものを嗅がせてみました。その際、靴底を嗅がせてみたところ、一斉に交尾行動をしはじめたんです。一生に一度しか交尾をしないはずの雌の蚊が、あれだけ一斉に交尾したのを見たのははじめてで、とても感動したのを覚えています。そこで足のニオイと交尾行動との関連性について調べようとしたのが僕の実験の第一歩となりました」

翌年、文部科学省からスーパーサイエンスハイスクール（ＳＳＨ）に指定され、高度な実験器具、学外の専門家からの指導などに恵まれる京都教育大学附属高校に入学し、蚊の研究を発展させる。妹の他、高校の教師たちから足のニオイのもとである菌を採取して培養。培養した菌を蚊に近づけた場合も、足を近づけた場合と同様に交尾回数が増えるのとともに、単離培養、すなわち菌を1種類ずつ近づけても蚊は交尾行動を起こさないことを突き止めた。

この研究では、足の菌を提供してくれた28人の中で、妹の足の菌に蚊が最も強く反応する一方、田上さんの足の菌には蚊が一切反応を示さないこともわかった。対照的なサンプルが、一番身近なところで得られたわけだ。

高1の田上さんにこの研究を聞いたとき、私は、彼の探究心に感服しつつも、内心、妹が蚊に刺されるのを止めたいはずなのに、蚊の交尾数を増やすと、蚊が増えてしまい、元も子もないのではないかと思った。元も子もないどころか、田上さんは当時、蚊の飼育箱から蚊が逃げ、妹を刺すので、妹は自分の実験自体をすごく嫌がっていると語っていた。飼育箱が部屋を一つ占有するため、両親も嫌がっていたという。

高校に通いながら蚊の研究にどのように取り組んでいたのだろうか。

「蚊が活発に交尾するのは、夜中です。なので午後11時頃に、スイカとかパイナップルを餌として与えて、交尾済みの雌に僕の腕を吸血させて、足のニオイを嗅がせるなどして交尾回数を数えていました。実験が終わるのは午前1時とか2時です。一番時間がかかるのは、未交尾と交尾のすんだ蚊の仕分けです。夜に生まれることが多いのですが、1匹ずつ手で捕まえるので大変でした。大学でショウジョウバエの神経幹細胞を研究することになりましたが、その研究室では、生まれたばかりのショウジョウバエを二酸化炭素で眠らせて、顕微鏡で見ながら雄と雌を分けます。１匹ずつ捕まえるのと比べて、すごく楽です」

学校の課題など、勉強をする暇がなさそうだが……。

「勉強は昼間にしていました。昼寝することもありましたが」

ついに蚊に刺されにくくなる方法を見つける

高２のとき（２０１６年）の研究で、田上さんは本丸に切り込む。すなわち、蚊が人の血を吸いたくなる理由に迫り、吸血数が減る、つまり刺されにくい条件を探ったのだ。ＮＨＫ「ガッテン！」取材班の協力も得て、若手スタッフの献身（？）により様々な条件で刺されやすさが変わるのかを調べるなどした結果、明らかになったのは「足に棲む菌の種類が多い人ほど、蚊に刺されやすい」。単離培養して１種類の菌に蚊を近づけても、交尾回数が増えなかったのと同様に、吸血数が増えないこともわかった。

さらに、足を洗浄すると、足の菌が減り、蚊の交尾回数も、吸血数も減ることがわかった。ついに田上さんは、本来の目的だった蚊に刺されにくくなる方法を見つけたわけだ。

妹の千笑さんも「家の中で蚊帳《かや》を張って寝ていたこともありましたが、刺されにくい方法を見つけることができてよかったです」と喜ぶ。

何か特定の種類の菌が発するニオイに蚊が反応して交尾したくなったり、血を吸いたくなったりするなら話は簡単だ。その菌だけを狙い撃ちする薬があればいい。しかし、蚊は、特定の菌ではなく、菌の「種類の多さ」に反応するらしい。何か一つの「食材」ではなく、いろいろな食材が混ぜ合わされた「料理」の香りで、おいしそうか、そうでないかを決めているのかもしれない。

高1の研究で、SSH生徒研究発表会（平成27年度）のポスター発表賞と、参加生徒の投票で決まる生徒投票賞を受賞したのに続き、高2の研究は、第11回「科学の芽」賞を受賞した。同賞は、筑波大学が主催し、優れた科学実験や自然観察を行った小・中・高校生を対象とするもの。「科学の芽」とは、筑波大の前身・東京教育大学の学長を務め、1965年にノーベル物理学賞を受賞した朝永振一郎《ともながしんいちろう》氏が残した次の言葉に由来する。

ふしぎだと思うこと
これが科学の芽です
よく観察してたしかめ
そして考えること
これが科学の茎です
そうして最後になぞがとける
これが科学の花です

（朝永振一郎氏が、１９７４年に記した色紙の言葉）

朝永氏の言う「科学の芽」が、「はじめに」で紹介した小柴氏の「夢の卵」と同様の意味を持つのは明らかだろう。ちなみに朝永氏が小柴氏のアメリカ留学で推薦文を書き、結婚のときには媒酌人《ばいしゃくにん》も務める一方、小柴氏は朝永氏の著作を英訳している。二人は飲み仲間で、公私にわたって深い関係を築いていたことが知られている。

蚊に刺されやすいかは肌の水分量で決まる

話を戻すと、田上さんは、高3でさらに「卵」を温め、「芽」を育て、第12回「科学の芽」努力賞を受賞した（千笑さんとの共同受賞）。研究タイトルは「人間が50匹の蚊に3分間で何回刺されるのかを、肌の水分量とヒトスジシマカの交尾数により数値化する」。

足の菌の種類の多寡《たか》が、蚊の交尾回数、吸血数を左右する。それでは足の菌の種類の多寡を決める要因は何なのか。たどり着いた答えは、肌の水分量だった。田上さんは、肌の水分量から、その人がどのくらい蚊に刺されやすいかを予測する数式を作った。

私は小さいときからよく蚊に刺される。小学生の娘も蚊に刺されやすい。一方、妻はほとんど刺されない。公園に遊びに行ったとき蚊に刺されるのは、私と娘だけだ。二人に共通するのは、いつも手足が湿っていること。肌の水分量が、蚊に刺されやすいかどうかを決めるという田上さんの知見は、私の実感にも合う。

元々、蚊に刺されやすい妹のためを思ってスタートさせたのだから、刺されやすさを軽減する方法を見つけた時点で研究をやめてもよかったはずだ。しかし、田上さんは立ち止まらず、肌の水分量と、刺されやすさを数式で関係づけるところまで突き進んだ。いわば蚊の実験結果を理論化したわけだ。高校生でそこまでできるのかと驚くばかりである。

『おむすびころりん』の実験

田上さんは幼少期からアリやミミズを家で飼うなど、生き物観察が好きだったという。そうかと言って、生き物一辺倒ではなく、高1のときには妹と一緒に「摩擦係数の測定による『おむすびころりん』が実現可能であるかどうかの検証」という物理的な実験にも取り組んでいる。

「それまでおむすびが実際に転がっている場面を見たことがなく、本当に『おむすびころりん』の絵本のように、転がるのか、おじいさんは追いつけないのか気になったんです。実際におにぎりを握って、いろいろな条件で、転がしてみたところ、おじいさんが追いつけないくらいのスピードでおにぎりが転がることは可能であることがわかりました」

疑問に思ったら、自ら調べないと気が済まない性格のようだ。科学者向きの性格と言えるだろう。しかしなぜアメリカの大学を目指したのか。

「高1でSSH発表会に参加したとき、招待されて会場に来ていた海外の高校生たちと交流する機会がありました。そのときアメリカの大学に興味を持ったんです。高2のとき、京都で開かれる学会のために来日していたカリフォルニア大学アーバイン校教授で、蚊が媒介する感染症の研究者のアンソニー・ジェームズ博士から、いろいろお話を伺ったのも、アメリカの大学で研究したいと思った理由です。博士の科学者としての経歴、蚊の研究に携わるようになったきっかけ、また今、蚊について研究されている遺伝子の話などを伺いました。他には将来良い研究者になるために今から多くの論文を読むように強く勧めていただきました。それまで僕は自分の蚊だけをずっと観察したり調べたりしていたのですが、その後論文を読んで世界にはすごい蚊の研究をされているすごい研究者がたくさんいることを学びました」

日本の大学を経由せずに、進学先にアメリカの大学を選んだのは、父親の転勤で海外で長く暮らした経験も関係しているかもしれない。田上さんは１９９９年にアメリカのシカゴで生まれ、２歳でオーストラリア、10歳でシンガポールに移り、14歳のときに日本に来た。最も長く過ごしたオーストラリアでは、生徒の自主性を重んじて、知的好奇心を育むカリキュラムで知られる「モンテッソーリ教育」を取り入れた幼稚園、小学校で教育を受けている。中３から高３まで日本で教育を受けているが、高２の夏から高３の夏まではオーストラリアに１年間留学している。

蚊の研究をはじめたのは、シンガポールでの経験も関係しているという。

「シンガポールでは、蚊が媒介するデング熱が大きな社会問題になっていて、毎週あちこちで殺虫剤が撒かれていました。蚊が卵を産まないように植木鉢の底の水を空にしておくようにと呼びかける政府のポスターもよく見かけました。妹が小さいときからよく蚊に刺されるのがかわいそうだと思っていましたが、シンガポールの状況を見て、日本に移ったとき、蚊の研究をはじめるなら今だと思ったんです」

絵本とそろばん、リビングでの時間

5年ぶりに田上さんを取材するに当たって、親御さんにもお話を聞けないか打診したが、NGであった。田上さんに続いて、2020年9月には妹の千笑さんもコロンビア大学に入学している。子どもが二人ともアメリカの名門校に合格するというのは普通ではない。もしノウハウのようなものがあるなら聞いてみたかったが、後から浅ましい考えであったと思い直した。

田上さん自身は、家族から受けた影響が3つあるという。

「一つめは、絵本です。母は小さいときから毎日絵本を読んでくれていつも周りに本がありました。そのときから本が好きになって、アメリカの大学で大変

なときにもいつも僕の心の支えになってくれています。二つめはそろばんです。母はそろばんを持っていて物心がついた頃には毎日少しずつそろばんと暗算を教えてくれていました。そのときから算数が好きでそれが今の数学への情熱に繋がっています。三つめは家族とのリビングでの時間です。僕は自分の部屋を持ったことが無かったので、いつもリビングで勉強をしていました。ふと顔を上げると家族がそばにいたので励みになりました。家族に感謝しています」

私が田上さんに台所のテーブルで話を聞いているうち、時折、取材に同行したカメラマンの東谷《とうや》忠さん（連載記事用の写真撮影を担当された）と談笑する千笑さんとお母様の声が聞こえてきた。その内容は、光の量の調整とか陰影といった撮影技術に関するものだった。田上家からの帰りがけに聞くと、東谷さんは二人から質問攻めにされたという。家族揃って好奇心旺盛であることがよくわかった。なお千笑さんは、兄の蚊の実験を手伝ったのがきっかけで、大学では環境問題を学びたいという。

子どものサポート役に徹する

「面談のとき、どうして田上くんみたいな子に育つのか、お母様に聞いたことがあります」

と語るのは、高1から高3まで、田上さんの担任教師だった京都教育大学附属高校の田窪啓人《たくぼひろと》教諭だ。格別の答えはなかったというが、田窪教諭は、ご両親が「これをやれ、あれをやれと指示するのではなく、子どものサポート役に徹している」と感じたという。

田上さんの蚊の研究は素晴らしいが、もし自分の子どもが家で蚊を何百匹、何千匹と飼育しはじめたら、私なら「やめろ」と言うんじゃないかと思う。しかし、田上さんの親御さんは、息子の蚊の研究を嫌がっていたようではあるものの、少なくとも禁止せず、受け入れている。サポート役に徹しているのであれば、取材NGも理解できる。

――高校での田上さんはどんな生徒だったんでしょうか。

「物怖じせず、どんなことでも質問してくる生徒でした。組み体操のコツはなんなのかといった質問をされた体育の先生が、『体育教師にも質問に来た』と驚いていましたね。私は数学教師ですが、田上くんは数学がピカイチで、いつも１００点を取るので、途中から彼に満点を取らせないようにするにはどうすればいいか考えてテスト問題を作っていました（笑）。お互い競い合っていたんです」

――アメリカの大学へ進学したいと聞かれたときは、どう感じましたか？

「うちの高校からアメリカの大学に進学する生徒ははじめてだったので、びっくりしましたが、彼ならあり得ると思いましたね。彼は高２から１年間オーストラリアに留学しましたが、帰国後そのまま高３のクラスに入りました。日本と海外では教育カリキュラムが違うので、帰国後すぐに受験勉強に追いつけるか不安で一つ下の学年からやり直す人も多いのですが」

――ずば抜けて勉強ができる子は、時に教室の中で浮いてしまうこともありますが、田上さんの場合はどうだったのでしょうか。

「彼は社交的で、周りの子たちも、『田上くんに聞けばわかる』と頼りにしていました。文化祭の活動にも積極的に参加していました。こんな子がいるのかと思うくらいでした」

人を助けるための道具を発明する科学者

私が彼に驚かされるのは、感謝の気持ちを全身全霊で表そうとする姿勢だ。
「僕は今、貴重な体験をさせていただいていますが、僕がアメリカの大学に行けたのは一人の力だけではなくて、緑さんが『週刊新潮』に記事を書いてくださって、それを読んだＮＨＫのディレクターの方が『ガッテン！』で取りあげてくださって注目されたおかげです。本当にありがとうございました」

自宅に伺う前にZoomでインタビューしたとき、開口一番、田上さんが話したのが、これである。彼は『ガッテン！』に出演した後も、コロンビア大学に留学が決まった後も、わざわざメールで同じことを伝えてくれた。京都の自宅でも3回は言われた。

もちろん悪い気はしない。むしろこんなに嬉しいことはない。しかし、私が最初に週刊誌に書いたのかもしれないが、遅かれ早かれ、彼の研究はメディアの注目を集めたはずだ。「一生に一度しか交尾をしないヒトスジシマカの雌に2時間で10回以上交尾行動を起こさせるには」や「摩擦係数の測定による『おむすびころりん』が実現可能であるかどうかの検証」といったタイトルを見て、興味を惹かれない人がいるだろうか。

田上さんは中3のときに、第2回日経「星新一賞」(2014年)に応募し、ジュニア部門で優秀賞を受賞している。タイトルは「子供が欲しいプレゼントが映る鏡」。天才的な科学者T博士のもとをサンタクロースが訪ね、子どもがほしいプレゼントが映る鏡を作ってもらう。だが、サンタクロースは喜んで鏡を持ち帰ったものの、しばらくしてT博士にそれを返しに来る……、というストーリーで、いかにも星新一が書きそうなショートショートである。

作品の中のT博士はとても頭が良く、いつも人を助けるための道具を発明している心優しい科学者です。こんな科学者になりたいなという僕の将来の夢を描いたものなので、とても楽しく書くことができました。

（田上大喜「作者コメント」より）

人を助ける道具を発明する、心優しい科学者。田上さんが周囲の人に示す、汲《く》めども尽《つ》きせぬ感謝の念は、彼を突き動かす原動力なのかもしれない。

蚊の研究は今も続けている。

「蚊って面白いんです。大学で学んだことを活かして研究していきます」

田上さんは、教授たちの推薦を受け、２０２０年11月の受験に合格し、２０２１年１月コロンビア大学院修士課程に進学。さらに22年５月には同大学の学士号と修士号を同時に取得して、10月にはオックスフォード大学博士課程に進むため渡英した。彼の活躍が今後も楽しみでならない。

コラム２　科学コンテストとは

筆者は過去に何度かハーフマラソンとトライアスロンの大会に出たことがある。友人に誘われて半ば嫌々参加したのだが、一旦エントリーすると、何とか完走したい、少しでも順位を上げたいといった目標ができる。そのおかげで、日々の練習に力が入った。

同じことは科学自由研究コンテストにも言えるだろう。目立ちたい、賞金がほしい、遠方の会場に行ってみたいといった知的好奇心とは無関係な動機でもかまわないから、科学に少しでも興味があるなら何らかの科学自由研究コンテストにエントリーしてみるといいかもしれない。コンテストまでモチベーションが上がるし、結果はともかく理系科目の理解力も上がるはずだ。筆者はハーフマラソンで完走できなかったり、トライアスロンで完走しても最下位に近い順位だったりしたが、練習に励んだおかげで少なくともダイエットできた。

科学自由研究コンテストでは、多くの場合、研究をまとめたポスターやレポートが評価の対象となる。ポスターやレポートを作成するには、自分なりの仮説を立て、実験や観察を繰り返し、考察する必要がある。どういう順番でいつ実験や観察をするか、あらかじめ計画を練っておかないと期限に間に合わせることができない。途中で軌道修正しなければならないこともあるだろう。一般社会でも求められる、こうした計画遂行能力を身につけられるのも、科学自由研究コンテストに参加するメリットだ。

もう一つのメリットは、同好の士を得られることかもしれない。同じコンテストに出場する人はライバルだが、科学に興味を持つ仲間でもある。同じクラス、同じ学校には見つけられなくてもコンテスト会場なら共通の話題に関心を持つ人が見つかる確率は高い。

日本全国で科学自由研究コンテストはいくつも開催されている。具体的にどれくらい存在するかはわからない。NPO法人日本サイエンスサービスが運営する「科学自由研究.info」に掲載されている小中高生向けのコンテスト数は約60あるが、そのうち３割程度は２０２２年現在すでに応募を終了している。一方、新たに開催されるものもある。全国の子どもを対象にしたものも、特定の地域の子どもを対象にしたものもある。主催者は企業、大学、学会、自治体と様々だ。科学自由研究コンテストは「学術版のスポーツ競技」（『中高生のための科学自由研究ガイド』三省堂）の大会と考えるとよいだろう。各種スポーツの競技大会と同様、科学界のコンテストにおいても様々あるわけだ。地方単位、全国規模を合わせれば１００以上はあるだろう。小学校の夏休みの宿題として出される自由研究も広義のコンテストとして考えれば、小学校の数だけあるとも言える。

日本で最も権威ある科学自由研究コンテストは読売新聞社が主催する日本学生科学賞（ＪＳＳＡ）と、朝日新聞社が主催する高校生・高専生科学技術チャレンジ（ＪＳＥＣ）だろう。本書に登場した人の中では、野崎舞さん、三上智之さん、山本実侑さんがＪＳＥＣに出場し、それぞれ優秀な成績を残している。上位に入賞すると、科学のオリンピックと呼ばれる国際学生科学技術フェア（ISEF）への出場権を得られる（山本さんが参加）。

学校や図書館に置かれているチラシを探したり、インターネットで検索したりして、自分に合った科学自由研究コンテストを見つけ、挑戦してほしい。

第9章

科学的に考えるとは

東京大学宇宙線研究所教授　梶田隆章さん

本書ではここまで中学、高校、大学生など若い人が取り組む科学研究を紹介してきた。最後の2章では、科学界の第一線で活躍する研究者とともに科学する心の育て方について考える。1人目として、2015年にノーベル物理学賞を受賞した東京大学宇宙線研究所の梶田隆章教授にご登場いただく。

緑　中学生や高校生の科学研究には、大学や専門機関で行われるものとは異なる独特の世界があるように感じています。特に身近な疑問に端を発して研究を発展させているところが魅力です。梶田先生は大学以前の研究をどうご覧になっていますか。

梶田　高校生の研究についてそれほど詳しく知っているわけではありませんが、母校（埼玉県立川越高校）の研究活動の運営指導委員を務めており、年に1回ですが、生徒さんたちの研究を見る機会があります。たしかに独自の視点があって面白いですね。もちろん長年研究に携わってきた者として、高校生の研究テーマの掘り下げ方に不満を感じる部分がないわけではありません。しかし、高校生のときに何か疑問に思ったことについて自分なりに調べてみる経験をすることは重要なことです。

緑　梶田先生ご自身は何か高校時代に取り組んだ研究はありますか？

梶田　いえ、ありませんね。弓道部の活動に熱中していましたから。

緑　本書で取りあげた若者たちの多くが、小さい頃に親御さんから科学館に連れて行ってもらった経験が、科学に興味を持ちはじめたきっかけであると語ってくれました。梶田先生も科学館などに通われましたか？

梶田　いえ、科学館に行った記憶はありません。子ども向けの本を読んだくらいです。実家は農家で、近所に山や川がありました。そういった場所で、よく遊びました。

緑　高校時代に弓道部顧問で、地学の担当教員でもあった先生の授業で、宇宙の成り立ちの話を聞いたのが科学や物理に興味を惹かれたきっかけだそうですね。

梶田　はい。ただそんなに真剣に宇宙の成り立ちとか天文学についてもっと知識を深めたいなどと考えたわけではないのです。高3で弓道部の活動を終えた後は、単に受験勉強だけしていました。大学では物理学科を選びましたが、特に研究者になるつもりもありませんでした。

緑　わりと軽い気持ちで進学先に物理学科を選んだわけですね。

梶田　なんだかんだいって高校生の知識、経験で、物理学者がどういうものかイメージできなかったのです。物理の研究がどういうものかもわからないし、恥ずかしながら高校生のときに将来どうしようとか本気で考えたこともありませんでした。

役に立たなくてもいい科学研究

緑　梶田先生がお若い頃はそんなに早く将来を決めなくてもよいという雰囲気があったんですね。

梶田　私が最近心配しているのは、役に立つかどうかで物事を判断する若い人が増えているんじゃないかということです。高校生向けに私の研究について講演をする機会が多くありますが、「それがなんの役に立つのですか」と質問されることがよくあるのです。私としては、宇宙の不思議さとか、役に立たなくてもいい科学研究の世界があることを知ってもらいたいのですが。

緑

梶田先生の業績であるニュートリノに質量があることを示す「ニュートリノ振動の発見」も、たしかに私たちの生活に直接関係するものではありません。しかし宇宙の起源の謎を考える上で欠かせない観測事実を確立したという点で、古代から人類が築き上げてきた知を広げた意義があります。

　基礎研究の場合、それが将来どんな実用的な価値を持つかはなかなか判断しにくい問題もありますね。ＧＰＳ（全地球測位システム）は飛行機、船舶、スマホなどに搭載されて私たちの生活に欠かせませんが、その精度を出す計算のために一般相対性理論が使われます。しかしアインシュタインも、その同時代の人も一般相対性理論がそんな用途に使われるとは想像もしなかったはずです。

梶田　科学研究に対して、間違ったイメージを植えつけられているとしたら由々しき問題です。なんの役に立つのかと言われると、私たちが取り組んでいるような基礎研究は成り立ちません。役に立つものだけが重要であるという考えが支配的になってしまったら、日本の社会はどうなってしまうんだろうという不安を覚えます。いろいろな考えを持つ人がいるのが社会のはずですから。

面白そうだから、飛び込んでみた

緑　話を戻しますと、梶田先生は1981年に、埼玉大学理学部物理学科を卒業され、東京大学の大学院で、小柴昌俊氏（超新星からのニュートリノの観測で2002年にノーベル物理学賞を受賞。2020年11月逝去）の研究室に入られます。なぜ小柴研を希望されたんですか。

梶田　物質を分割したときにこれ以上は小さくできないというところまで小さくした「素粒子」についてもっと知りたいと考えて、小柴研を選びました。といっても、小柴研で何をやっているかきちんと知っていたわけではありません。今のようにインターネットで詳しく調べられる時代ではありませんから、紙の冊子の募集要項に書かれているわずかな情報から「えいっ」と決めたわけです。

緑　今の若い人たちの多くは人生の早い段階で進路や職業を選択する必要に迫られると思います。よくわからないけど、とにかく面白そうだからと飛び込むことは少ないかもしれません。

梶田　みなさん将来のことをいろいろと考えすぎているんじゃないかと思います。

緑　梶田先生の場合は、大学院の修士課程ではじめて研究の面白さに目覚めたわけですね。

梶田　ええ。岐阜県の神岡鉱山《かみおかこうざん》で、実験装置のカミオカンデに検出器を取りつけたり、データを解析するソフトウェアを改良したりする作業が楽しくて、自分に合っていると思いました。

緑　その過程で、後の大発見に繋がる兆候をつかまれた。

梶田　ニュートリノの観測値が理論的な予想よりも少なく、最初は単純ミスかと思いました。ところが、ソフトウェアの確認作業を続けていくうちに、ニュートリノの観測値に間違いはなさそうだとわかってきた。その後カミオカンデよりさらに大きなスーパーカミオカンデで研究を続け、ニュートリノ振動を発見しました。

研究の卵を二つ、三つ持つ

緑　小柴先生は教え子たちに「研究の卵を二つ、三つ持っていなさい」と言っていたそうですね。

梶田　私も言われました。そのとき取り組んでいることとは別に、やりたい研究テーマを見つけて温めておきなさいという教えです。小柴先生は「大学院生を含めて、若い人に責任を持たせて仕事をさせると、人は勝手に育っていく」とも仰っていました。責任を持たされた人は、いろいろ考えて行動する必要があります。そういう経験が大切だと感じておられたんでしょう。

緑　小柴先生はノーベル賞受賞後、平成基礎科学財団を設立して、子どもたちへの科学の啓蒙に取り組んでいました（2017年解散）。梶田先生も理事を務めておられましたね。

梶田　はい。この財団の活動で印象に残っているのは、高校生、大学生を対象にした「楽しむ科学教室」です。全国各地で開催する出張授業で、私も1、2回、授業をしました。小柴先生が強調していたのは、生徒自ら参加し、考え、「楽しむ」ことが大事で、「楽しい」ではないということです。教師が申し込んでクラス全員が参加するような仕方は認めず、聞きたいと思う人だけ自ら申し込む形式でした。

緑　自ら参加することに意義があると。

梶田　そうです。それで、自ら考える。

「科学的に考える」という思考法

緑　「科学的に考える」とは、どういう思考法なのでしょうか。

梶田　まず疑問を持ち、それについて考えるわけですが、ただ考えるだけでは足りません。その考えが正しいのか確かめるために観察をしたり、実験をしたりして、何らかの結果を得る。その結果とは別の言葉を使えば、データです。そのデータを先入観を持たずに解釈する。そういうプロセスが科学的に考えるということだと思います。

緑　先入観を持たず、という部分はなかなか難しいですね。

梶田　そう、たしかに難しいです。率直に言うと私もどうすればいいのかわかりません（笑）。いろいろな角度から問題を捉えて、時間をかけて納得がいくまでやり抜くことが大切だと思います。

緑　最後に伺いますが、子どもたちの科学的な心を養うのにどんなことが必要だとお考えですか。

梶田　伸び伸びと育つ環境です。何かの役に立つかどうかを考える人はもちろん必要ですが、そうかといってそういう人ばかりになってしまっては社会から活力が失われてしまいます。

緑　ありがとうございました。

第10章 好奇心の種がなければ、花も咲かない

米テキサス大学オースティン校冠教授　鳥居啓子さん

緑

前章に続き、研究者とともに科学する心の育て方について考える。ご登場いただくのは、米テキサス大学オースティン校冠教授で、植物学者の鳥居啓子氏。２０１５年に第一線で活躍する女性科学者に贈られる猿橋賞、アメリカ植物生理学会フェロー賞、２０２２年には「学術、芸術などの分野で傑出した業績をあげ、わが国の文化、社会の発展、向上に多大な貢献をされた個人または団体」を顕彰する朝日賞も受賞した同氏に、自身の幼少期や日米の教育環境の違いなどについて伺った。

鳥居先生は講演や記事の中でしばしば「無意識のバイアス」について言及されています。「女性は男性より数学の能力に欠ける」「母親は父親より管理職に向いていない」などのジェンダー・バイアス（性別に対する偏見）が典型的な無意識のバイアスで、これが女性研究者数の増加を阻み、（業績は男性と変わらないか上回っているのに）女性研究者が様々な科学賞を受賞する機会に悪影響をもたらしている一因ではないかと指摘されています。無意識のバイアスは、人が成長する間に経験する出来事に基づいて作られると考えられているそうですが、具体的にはどんな出来事でしょうか。

鳥居　無意識のバイアスは、「本来、知らない人の属性を推定することで危険を避けよう」という無意識の安全対策から来るのかもしれません。しかし、無意識のバイアスにより、子どもたちの将来の芽を摘んでしまう恐れがあります。そこに、性別は関係ありません。

たとえば、ある植物学者から、子どもの頃幼稚園でお絵描きの時間に花を描いたところ「男の子なのにお花の絵なんて。車の絵は描かないの？」といった趣旨のことを先生に言われてショックを受けたというエピソードを聞きました。男子だからといって草花に興味を持ってはいけないなんてことはなく、幼稚園教諭の無意識のバイアスによって、将来の植物学の発展が失われていたかもしれません。

私の大学院時代にはこんなこともありました。近所にカエルが好きだという女の子がいて、ちょうどそこにいたカエルを私が手に取って生態などを説明していたら、彼女のお母さんから「そんなばっちいものを触っちゃいけません」とすごい剣幕で怒られたんです。カエルを通じた付き合いはそれっきりになってしまいましたが、その子はしばらく私のことを「カエルのおねえさん」と呼んでいたらしいです。

緑　生物学の研究者と身近な生き物について学ぶせっかくのチャンスだったのに、もったいない。

鳥居　男の子でも女の子でも、特に小学校低学年くらいまで、その子の興味をつぶさずに伸ばす環境を作ることが大事です。

無意識のバイアスは変えられる

緑　本書にご登場いただいた山本実侑さんのお母さんは「ダンゴムシを飼いたい」という娘の願いを一度は「ダメ」と却下するんですが、すぐに「子どもの好奇心の芽をつぶしてはいけなかった」と反省して、その後は実

鳥居　侑さんの望み通りいろいろな生き物を自宅で飼っていたそうです。子どもの希望に抵抗感を持つことがあっても修正できる場合もありますね。素敵なお母様ですね。無意識のバイアスはまさに無意識に持っているものなので、どういうバイアスがあるのか知って、意識的に変えていくしかありません。

緑　鳥居先生は小さい頃から植物がお好きだったんですか？

鳥居　いいえ、小学生時代は植物にはあまり興味がなく、昆虫が好きでした。いろいろ飼いました。キアゲハの幼虫を飼って、サナギからチョウになるまで毎日フィルムカメラで撮影したのですが、父がその作業を手伝ってくれました。小学校入学のお祝いだったか、母が「好きなものを買ってあげる」と言うので「顕微鏡と望遠鏡がほしい」と答えたら「両方は無理」とのことで、結局、顕微鏡を選びました。接眼レンズが一つしかなくて倍率も変えられない顕微鏡でしたが、昆虫の翅《はね》とかミジンコなどをよく観察していました。

緑　そのときもし望遠鏡の方を選んでいたら……。

鳥居　ちょっと違う道に進んでいたかもしれない（笑）。今でもそうですけど、肉眼では見えない世界を見るのが好きだったんだと思います。

緑　何か実験されることもありましたか？

鳥居　真面目な実験ではありませんでしたが、小学校低学年の頃、ナメクジに塩をかけると小さくなると聞いたので、砂糖をかけたら大きくなるんじゃないかと考えて、庭先にいたナメクジにたくさん砂糖をかけたことがあります。

緑　どうなるんですか？

鳥居　大きくなるどころか、縮んで死んでしまいました。何か悪いことをした気がして、ショックで泣いちゃいました。家の中に駆け込んで、それっきり忘れることにしたんですが、今思えば、私が実験したのは「ナメクジに砂糖をかければ大きくなる」という仮説の検証でした。その仮説は間違いだったわけですが、もう少し突き詰めれば、塩や砂糖をかけられると浸透圧の働きでナメクジの体内の水が外に出るから縮むということを明らかにできたかもしれません。

緑　面白い着眼から研究を発展させるには、誰かのアドバイスがあるとよさそうですね。

仮説は却下するもの

鳥居　そうですね。仮説は却下するもの、つまり自分なりの仮説を立てたら、その仮説が正しくないことを証明するような実験や、仮説が成り立つ条件を絞りこむための対照実験を設定し、実験でその仮説が却下できないことを示せてはじめて仮説の正しさを検証できます。それが科学の作法です。実験や対照実験の組み立てには知識と経験が必要なので、先生や周囲の大人からのアドバイスがあるといいですね。

緑　昆虫や顕微鏡へ興味を持つことは、ジェンダー・バイアス的には「女の子だからダメ」と言われそうですが、親御さんは反対するどころか応援してくれたわけですね。

鳥居　両親がジェンダー・バイアスを持っていなかったわけではないと思います。昭和1桁世代ですから。でも、今ふり返って運がよかったと思うのは、うちが3人姉妹だったことです。それで3人のうち1人くらい男っぽいものが好きでもかまわなかったのではないかと。そのおかげで泥遊びも昆虫の飼育も許されたのだと思います。さすがにシロアリを飼ったときは本気で叱られましたが（笑）。

緑　家が壊されてしまう……。

鳥居　でも、木の皮に付いているシロアリの群れの動きを見るのって面白いんですよ。まあ、シロアリがダメなのは当然と言えば当然ですね。いずれにしても3姉妹とか子どもが女の子だけの家の場合、そのうち1人くらい男っぽいものが好きな子がいるパターンは、ひょっとしたら多いんじゃないでしょうか。

緑　鳥居先生は、植物の細胞がコミュニケーションを取り合い、ある細胞は気孔（葉の表皮に存在し、二酸化炭素を取り込み、酸素や水蒸気を放出する小さな穴）になったり、別の細胞は葉肉《ようにく》になったりする植物の形作りの仕組みを遺伝子レベルで明らかにされていますが、人間も周囲の環境で役割分担が変わるわけですね。

鳥居　その通りです。同じ理数系の女子でも、女子校出身者の方が共学出身者よりも実験などに積極的だと示した研究もあります。共学だと女子生徒は、記録係など男子生徒の補助的な役割をしがちですが、女子校ではそういうことがないからです。

私はずっと共学で過ごしましたが、もし家に姉妹だけでなく男の兄弟もいたら、両親は男の子に持てる資源を集中投下したかもしれません。ですから無意識のバイアスを正して、子どもの将来の芽を摘まないようにしなければならない。

本書のように、ロールモデル（お手本となる人物）を紹介する取り組みは大切だと思います。世の中のお父さん、お母さんが「こんな人がいるのなら、あなたもそれでいいのね」と認識を変えるきっかけになりますから。

子どもが興味を持ったものを伸ばす

緑 鳥居先生はお父様のお仕事の都合で中学2年生から高校卒業までニューヨークで過ごされていますね。また、研究者になった後はアメリカで子育てもされています。無意識のバイアスに関しては、アメリカの方が日本より少ないイメージがありますが、いかがでしょうか。

鳥居 アメリカの場合、ジェンダー・バイアスについては減っていると思います。しかし、人種に関しては、まだまだ非常に問題です。日本での男女差別と同じように、人種に関する無意識のバイアスが構造的差別の原因になっています。

たとえば、アメリカでは日本、韓国、中国などの東アジア系は理科や数学ができて当たり前と思われています。そのため、ある名門大学の入試では、アジア人学生の数が増えすぎないよう、「人格スコア」でアジア系が低く評価されたという疑惑が上がっています。そのバイアスがアジア系の学生を苦しめていると言われています。

私の2人の娘は、ドイツ人とのハーフで、どちらかというと白人に見えるのですが、長女が高校に入った頃、新たに知り合ったアジア系アメリカ人のお嬢さんから「私たちアジア系と違って、あなたは勉強のプレッシャーがなくていいわね」と言われたそうです。アメリカにはアメリカのバイアスがあります。

日本の場合は、特に少子化が進んでいるので、性別など生まれ持った属性の違いにこだわっている余裕はないと思いますね。その子が興味を持ち、才能を発揮できるものを伸ばすしかないんじゃないですか。

緑

子どもの工夫を認める

学校教育については日米にどんな違いがありますか。

鳥居 アメリカの教育で良いと思われるのは、型にはめず、子どもなりの工夫を認めてくれることでしょうか。次女は小さいときから虫が嫌いで、私にはそれがショックで、最初は悲しかったんですが（笑）、コンピュータが好きだということがだんだんわかってきました。

それで小学校2年のとき、スクラッチという子ども用プログラミングソフトを使って、九九を覚えるためのゲームを作っていました。もう少し学年が進んで、数学の授業で、複雑な確率の計算をするとき、他の子が手計算で頑張っているところ、次女はプログラムを組んで誰よりも速く答えを出して、ご褒美の飴をもらって帰ってきました。

日本だと「そんなズルはしちゃいけない」とか怒られそうですが、アメリカだと「すごい」と褒められる。日本では小学校の算数の文章題で、答えは一緒なのに決められた順番でかけ算の式を書かないと×にされることもあるそうですが、アメリカでそんな話は聞きません。

緑 バイアスの克服の他に、子どもの科学する心を育てる上でどんなことが

鳥居　役立つでしょうか。鳥居先生にとって、これをやっていてよかったと思われることがありますか？

緑　絵画教室に通ったことですね。母親の趣味だったのかと思いますが、小学校時代に石膏《せっこう》デッサンと油絵を習っていたんです。私の研究では、実際の葉っぱの表面の構造を見つつ、頭の中でそこにどんな因子が働いているかをイメージします。条件を変えて実験した結果を並べて、どの部分をもっと深く調べるか考えるのですが、絵の真贋《しんがん》の鑑定士の仕事に似ていると思うんです。私には絵の鑑定はできませんけれど、自分の研究では、顕微鏡画像を眺めたときに、勘が働いて「これだ！」と気づくことがしばしばあります。

鳥居　植物の細胞ネットワークをイメージするときに、絵を描く能力が活かされているわけですね。

緑　そうですね。実験技術が高く高精度なデータを出すものの新しい発見をするのが苦手な生物学者、計算が得意でも新しい数式を見つけるのが苦手な理論物理学者もいます。実験技術、計算能力を発揮する場所もあるので、それぞれが得意なものを組み合わせて研究を進めていければよいと思いますが、私の場合は、絵画教室に通った経験が役立っていると感じますね。

「面白そう」からスタートした

緑　研究者を目指したきっかけは何でしたか？

鳥居　生物学の研究に惹かれたきっかけは、アメリカ・ニューヨークで過ごした高校時代に生物学研究者の研究室を訪れた体験です。たまたま日本人補習校の親しい友人のお父さんが著名な分子生物学者で、当時、製薬会社ロシュの研究所にいらっしゃったんですが、「遊びにおいでよ」って、ニュージャージーにある研究室を見学させてくれたんです（古市泰宏氏。遺伝物質のメッセンジャーRNAの保護や情報伝達に関わる「キャップ」という構造の発見者。ファイザーやモデルナの新型コロナワクチンにも応用されている)。私の大叔父(田崎一二《いちじ》氏。脳の神経繊維を活動電位が飛び飛びに伝わっていくことを明らかにした研究で世界的に著名な神経生理学者)のマサチューセッツにあるウッズホール海洋研究所にも見学に行きました。実験室にいろいろな装置が雑然と置いてあって「生物学って面白そうだな」という印象を持ちました。

緑　最初は「面白そう」という、どちらかというとぼんやりした憧れからスタートするわけですね。

鳥居　ガンなど難病を治したい、世界の人を救いたいと研究している方もいらっしゃって、素晴らしいと思うんですが、恥ずかしながら私にはそういう動機はありませんでした。

緑　でも、気孔ができる仕組みを明らかにした鳥居先生の研究は結果的にはいろいろな方面で役に立っていますね。

鳥居　はい。気孔を減らすと光合成の効率が下がって農作物はうまく育たず、収量も減りそうなものですが、ある研究では、気孔をわずかに減らした場合には収量は減らず、乾燥に強くなって水利用の効率が上がると報告されています。実際に温暖化をモデルとした高温化では、逆に収量も上がるという論文も最近出ました。そういう研究に私たちが発見した遺伝子が利用されています。他に、気孔を増やす改良にも私たちの遺伝子が使われています。

緑　気孔を増やせば、植物が二酸化炭素をどんどん吸ってくれるようになるわけですね。

鳥居　二酸化炭素濃度が増えると、植物は一般に気孔の数を減らします。植物は光合成に必要な二酸化炭素を取り込めればいいので、二酸化炭素濃度が高いと、気孔の数を減らして過剰な二酸化炭素の取り込みを防ごうとするわけです。そこで無理やり気孔を増やしたら二酸化炭素削減に役立つ上、収量も増えるんじゃないかという発想で、研究が進められています。

緑　最初に、その遺伝子を発見したときには、気孔の仕組みに関わるとはわ

鳥居　からなかったんですよね。全然わかりませんでした。どんな機能があるか調べてはじめて気孔に関係していることがわかったんです。運が良かったのは、それら一連の遺伝子が、私が実験に使ったシロイヌナズナというアブラナ科だけでなく、シダやスギゴケを含め陸上植物で広く保存されていたことです。様々な応用に活かせるのはそのおかげです。

好奇心の種がなければ、花も咲かない

緑　梶田隆章先生も指摘されていましたが、好奇心に基づく研究が大事ですね。

鳥居　種がなければ花も咲かないですよね。他の研究グループが私たちの遺伝子を使って作物の研究を進めているのを見て、私も参入しようとしたことはあるんですが、悔しいことに、もう出る幕がないくらい応用研究の進歩が速くて、5、6年前まではジレンマに悩んでいました。

結局は、私にしかできないことをやって新しい遺伝子をどんどん見つけていこうというモチベーションで今は研究しています。誰かが面白い遺伝子を見つけたら、それを使って別の人が応用するというのが科学の営みなんだと思います。実際、2022年7月に欧州であった国際会議で、フィリピンの国際イネ研究所で大規模栽培試験をしている研究グループから「あなたがどんどん遺伝子を見つけてくれたから私たちの研究があるのよ」と言われました。お世辞だと思いますが。

緑　最後に、これから科学者になりたい、あるいは科学に関わる仕事がしたい若い人に向けてメッセージをいただけるでしょうか。

鳥居　生物学に限って言えば、今、非常に恵まれた時代だと考えています。最大の理由は、生物の設計図であるゲノム情報が以前より簡単に、かつ低コストで得られるようになったことです。そのおかげで従来はショウジョウバエ、線虫、シロイヌナズナのような特定の種類の動植物でしか得られなかった知見を、多種多様な対象から得られるようになっています。

さらに野外で採取した植物のゲノムだけでなく、その植物と共生しているバクテリアのゲノムも同時に調べる技術もあります。同じ植物でも環境が変われば共生バクテリアも変わるので、環境とバクテリアがどういう関係にあるのかなど研究すべきことは山のようにあります。ゲノム解析技術の普及で、研究者は多様な生物の世界に直接切り込めるようになったのです。

その結果、最近では爆発的に増えたゲノム情報を駆使して、新しい生命原理を発見しようというバイオインフォマティクスも盛んになってきました。私も最近は簡単なプログラミングや統計手法を勉強していますが、これからの生物学者にはコンピュータ解析の基礎を身につけることも求められるでしょうね。もちろんすべての分野の専門家になれるはずもないので、異分野の研究者とコラボレーションすることも大切です。

ありがとうございました。

緑

おわりに

本書は、ウェブ媒体「SlowNews」に掲載された「13歳からのサイエンス」（21年2月から22年7月）をまとめたものである。

元になったのは、筆者が「週刊新潮」（2015年12月24日号）に書いた「『スーパー・サイエンス・ハイスクール』の実態」という記事である。この記事に関心を寄せていただいたポプラ社の近藤純さんから声をかけられ、本書の企画がスタートし、「SlowNews」に連載する機会をいただいた。

「週刊新潮」の記事では、毎年開催されるスーパーサイエンスハイスクール生徒研究発表会に出場した高校生を取りあげたが、この企画では対象範囲を広げ、様々な科学自由研究コンテストで表彰された研究の中から、筆者が興味を惹かれたものを選んで新たに取材した。ただし山本実侑さんと田上大喜さんには再登場いただいた。

浅はかなことに、筆者は以前、高校生以下の科学自由研究を「どうせ大人がやっている研究のミニチュア版だろう」と軽視していた。大学で本格的な研究をする前の準備程度の意義しかないだろうとみなしていたのである。ところが、彼らの研究内容を調べたり、話を聞いたりしてみると、大人の研究とは異なる独自の世界があることに気づかされた。大人の研究者は、ともすると一定の研究成果が見込めて、予算の得られやすい流行の研究テーマを追い求めがちである。しかし、子どもたちは素朴すぎたり、大胆すぎて、大人なら敬遠する研究テーマに果敢に挑戦する。だから、科学自由研究の世界は多彩で、面白いのだ。

仮説を立て、実験し、検証するのが科学の方法だ。それぞれの段階には様々な能力が求められる。仮説を立てるには、たとえば身の回りの出来事を注意深く観察して問いを見出し、問いを洗練させるため過去の文献を念入りに調べなければならない。実験では、仮説に白黒を付けられる条件を設定する構想力が、検証では、実験結果から導けないことは主張しない自制心が必要だ。

これらの能力を若いうちに身につけておけば将来、科学者になるときにはもちろん、そうでない場合にも役に立つ。スポーツ選手なら練習方法（仮説）を考え、練習して大会（実験）に出場し、その結果に応じて練習方法を改善（検証）する。ビジネスパーソンならビジネスプラン（仮説）を立て、市場調査を経て製品・サービスを市場に投入（実験）し、その結果に応じて生産量の調整やマーケティング方法の変更（検証）に取り組む。いずれも科学の方法と基本は同じだ。

科学の方法は新たな発見をもたらす方法として発展してきた。どんなスポーツも、どんなビジネスも、他の人と同じことをやっても競争相手に勝つことはできない。だからこそ新しさが求められる分野で、科学の方法は特にその威力を発揮する。

逆に、新しいと称するものが実は新しくないこと、効果があると称するものに実は効果がないことを示すときにも科学の方法は役に立つ。世の中には、簡単に病気が治る、みるみるお金が貯まるなど、うまい話があふれているが、科学の方法に馴染みがあれば、どんな実験がなされたのか、どう検証されているのかと宣伝の裏側に考えが及ぶだろう。見破るのが難しい巧妙な嘘もあるが、科学の方法を丁寧に適用すればほとんどすべての嘘を撃退できるはずだ。

その意味で、科学の方法は日常生活にも役に立つ。

また筆者にも小学生の娘がいるので、本書にご登場いただいた親御さんの子どもたちに対する姿勢に学ぶことが多かった。野崎舞さんのお母さんのように、子どもが学校に行きたくないと言ったとき「行け」と言わずに愛情を注ぎ、田上大喜くんのお母さんのように子どものサポート役に徹したいと思った。自然に触れたり、科学館に見学に行ったりなど、科学に興味を持つ機会を増やし、後は子供を信頼して、子供をサポートし続ける。結局のところそれが子どもに科学的な考え方を身につけてもらう近道だと思われる。

本書にご登場いただいた若者たちや、科学界の第一線で活躍する研究者たちの言葉が、読者のみなさんが科学の方法について考えるきっかけになれば幸いである。

22年10月　緑慎也

参考文献

・『ニュートリノの夢』小柴昌俊／岩波ジュニア新書／二〇一〇年
・『寺田寅彦　漱石、レイリー卿と和魂洋才の物理学』小山慶太／中公新書／二〇一二年
・『ウルトラ・ダーウィニストたちへ　古生物学者から見た進化論』ナイルズ・エルドリッジ著／新妻昭夫訳／シュプリンガー・フェアラーク東京／一九九八年
・『絵でわかる麹のひみつ』小泉武夫著／おのみさ絵・レシピ／講談社／二〇一五年
・「過小評価続く女性研究者　米国でもマチルダ効果歴然」鳥居啓子／Science Portal／二〇一六年一月二五日
https://scienceportal.jst.go.jp/explore/opinion/20160125_01/index.html
・「女性研究者が自由に素晴らしい研究をするために」鳥居啓子／Science Portal／二〇一八年五月十八日
https://scienceportal.jst.go.jp/explore/highlight/20180518_01-2/index.html
・「女性教授が指導すると女性研究者は伸びない？」鳥居啓子／論座／二〇二〇年一二月七日
https://webronza.asahi.com/science/articles/2020112900003.html

本書は、ウェブ媒体「SlowNews」に掲載された「13歳からのサイエンス」（21年2月から22年7月）を加筆修正のうえ、書籍化したものです。

本書に登場する方たちの肩書や年齢は取材当時のものです。

カバーデザイン　bookwall

緑 慎也
みどり・しんや
サイエンスライター。1976年、大阪生まれ、福岡育ち。出版社勤務を経て、フリーランスとして、週刊誌や月刊誌などにサイエンス記事を執筆。著書に『認知症の新しい常識』『消えた伝説のサル ベンツ』、共著に『山中伸弥先生に、人生とiPS細胞について聞いてみた』『ウイルス大感染時代』『太陽系の謎を解く』、訳書に『「数」はいかに世界を変えたか』など。

ポプラ新書
233
13歳からのサイエンス
理系の時代に必要な力をどうつけるか
2023年 1 月10日 第 1 刷発行

著者
緑 慎也
発行者
千葉 均
編集
近藤 純
発行所
株式会社 ポプラ社
〒102-8519 東京都千代田区麹町 4-2-6
一般書ホームページ www.webasta.jp
ブックデザイン
鈴木成一デザイン室
印刷・製本
図書印刷株式会社

N.D.C.916/247P/18cm ISBN978-4-591-17602-3

P8201233

理系という生き方
東工大講義　生涯を賭けるテーマをいかに選ぶか

最相　葉月

クラゲの研究でノーベル賞を受賞した下村脩、マリー・キュリーのもとで研究した山田延男、星新一が唯一の弟子と認めた作家であり研究者でもある江坂遊――第一線で活躍する科学者たちは、どう挫折を乗り越え「今までにないもの」を生み出してきたのか。自分の仕事や人生を見つめなおすうえで、新たな視点を得られる一冊。

「学校に行きたくない」と子どもが言ったとき親ができること

石井 志昂

大事なのは、子どもも親も、自分を大切にすること。自身も経験者である不登校新聞編集長が、学校へ行きたくないと言う子どもに向き合う際の具体的なアドバイスや子育てのノウハウを一冊にまとめました。教育・保育学が専門の東京大学名誉教授・汐見稔幸氏、N高を設立した角川ドワンゴ学園理事の川上量生氏との対談も収録。

9月1日 母からのバトン

樹木 希林　内田 也哉子

「どうか、生きて」2018年9月1日、病室で繰り返しつぶやいた樹木希林さん。夏休み明けのこの日、学校に行きたくないと思い悩む子どもたちが、自ら命を絶ってしまう。樹木さんは生前、不登校の子どもたちと語り合い、その事実を知っていた。樹木さんが遺した言葉と、それを受け内田也哉子さんが4名と対話し、紡ぎ出した言葉をまとめた一冊。

やりすぎ教育
商品化する子どもたち

武田 信子

日本の子どもの精神的幸福度は、参加38か国中37位。大人たちの過度な期待と押しつけで、日々、心と体を蝕まれ、自信を失っている子どもたち。教育熱心と教育虐待のボーダーラインはどこにあるのか。本書は、家庭や学校で起きている不適切なかかわりあいの実態を報告、さらに学びと遊びの本質、幼児期の発達プロセスなどを紹介する。真の成長、生涯続く学びを考える教育・子育て改革論。

スマホを捨てたい子どもたち

山極寿一

講演会で、多くの高校生がスマホを手にしながら、「スマホを捨てたい」と言った。彼らはなぜ、スマホで人とつながることに漠然とした不安を感じているのか。200万年前の人類の歴史とゴリラ研究の見地から、生物としての人間らしさを考える。京大前総長でゴリラ研究者の著者による「未知の時代」の人とのつながり方。

子どもの発達障害 誤診の危機

榊原洋一

発達障害は、受診者の増加とともに、過剰ともいえる診察、診断が見られるようになってきた。医師、専門家として多くの子どもを診てきた著者の診察室では、通常学級に通うような子どもが「重度自閉症(スペクトラム障害)」と診断されたという、いわば誤診が2割ほど見られるという。発達障害の基本的な考え方から最新の知見までを伝える一冊。